De geboorte van een wees

Maaike Gerritsen

De geboorte
van een wees

Anthos | Amsterdam

Eerste druk mei 2011
Tweede druk augustus 2011

ISBN 978 90 414 1761 9
© 2011 Maaike Gerritsen
Omslagontwerp Bloemendaal & Dekkers
Omslagillustratie © Michael Haegele / Corbis
Foto auteur Merlijn Doomernik

Verspreiding voor België:
Veen Bosch & Keuning uitgevers n.v., Antwerpen

Voor: _____

Vraag niet,
weten is zonde
welk einde jou, welk einde mij
beschikt is van verre
kijk niet in de sterren

Veel beter beleven
wat zal worden gegeven,
is deze winter de laatste
die nu tegen het raam slaat?
met vlagen van regen
of wat er nog komen gaat

Wijs moet je wezen
je wijn moet je lezen
het zijn niet genezen
door dán, maar door déze

Dag die vervaagt
door tijdnijd belaagd
stel aan morgen geen vraag
pluk de dag nog vandaag

> Horatius, *Carmina* I.11
> Vrije bewerking van H.B. Gerritsen

Men spreekt van een geboorte,
Als er iets anders aanvangt dan er was, en sterven is
ophouden met hetzelfde-zijn. En toch, het groot geheel
blijft wel bestaan, al schuift er nog zoveel van hier naar daar.

Ovidius, *Metamorphosen.* Boek xv, r. 255-258

Proloog

Veel moeders slaan hun kinderen. Niet op de billen, geen corrigerende tik. Nee, voluit een duw in de rug, een draai om de oren, een klap op de arm. Mannen die hun echtgenote verkrachten; ook niet ongewoon. Een meneer die zijn lid in een geit steekt, achter het schuurtje bij de kinderboerderij tegen sluitingstijd, huurde mijn diensten in. En een topambtenaar bij het ministerie van Verkeer en Waterstaat vertelde me dat hij een deel van zijn cv bij elkaar had gelogen. Twee jaar lang kreeg hij eens in de acht weken een mailtje waarin hem werd verzocht zijn diploma's te laten kopiëren bij personeelszaken. Het begon pas te knagen toen er geen mails meer kwamen. Schuldgevoel en schaamte; daar gaan veel mensen uiteindelijk aan kapot.

De raarste verhalen krijg ik in mijn praktijk. Maar vaker nog is het ene verhaal een herhaling van het andere. Hoe mensen in de eeuwigdurende herhaling van alles hun leven uniek wanen, dat is de basis van mijn praktijk.

Die praktijk heb ik nu zo'n anderhalf jaar geleden opgezet. Mensen komen bij mij om hun hart te luchten. Een leven kabbelt over het algemeen, met nu eens een dieptepunt en dan weer een hoogtepunt. Van die ijkpunten van het leven zijn de mensen zo vol dat ze erover willen vertellen. Het als in een roman herbeleven met zichzelf als ik-personage in het middelpunt.

Ik hoor met name veel taboes. Geheimen die je in de katholieke kerk onder zonden kunt scharen. Mijn bedrijfje functioneert als biechtstoel. Vergiffenis schenk ik echter niet. Dat is ook niet nodig, want meestal vergeven mijn klanten zichzelf. Op het moment dat ze hun zonde uitspreken, valt de last van hen af. Daar is geen priester of pastoor voor nodig.

Ik hoef er niet rijk van te worden: ik zit goed bij kas. Over speciale diploma's beschik ik niet; ik ben geen psycholoog, bezit geen certificaat op het gebied van coaching of therapie en ik ben al helemaal geen kerkvertegenwoordiger. Nee, het is eerder zo dat ik op een morgen wakker werd en tegen mezelf zei: vanaf nu ga ik doen wat ik leuk vind en waar ik goed in ben. Het leven kan zo voorbij zijn.

Veel mensen hebben angst als hun raadgever. Weggaan uit een slecht huwelijk? Doe maar niet, want wat zou er gebeuren met ons mooie grote huis, hoe moet ik leven van weinig inkomen? Ik zal eenzaam zijn en met mijn ouwe kop en dikke buik zal ik nooit een nieuwe partner vinden. Veranderen van baan? Lukt vast niet, ik ben te oud, te jong, te middelmatig, wie zegt dat ik niet op den duur ontslagen word omdat ik door de mand val wegens wanprestaties? In mijn huidige baan zit ik al zo lang, daar vinden ze me ook niet goed, maar daar kunnen ze me niet zomaar dumpen. Dat ik gepest word door mijn manager, dat neem ik dan maar op de koop toe. Nog maar vijftien jaar, dan kan ik met de VUT; als die dan nog bestaat tenminste, maar daar denk ik liever niet aan.

Kop in het zand. Verknocht aan hun slachtofferrol aanvaarden mensen de stank en de verrotting van de omgeving waarin ze al jaren verkeren. Lange tijd heb ik ook zo gedacht, maar ik kwam in een fase van mijn leven dat doorgaan met waar ik mee bezig was eenvoudigweg niet meer kon. Vervolgens heb ik nagedacht over waar ik goed in was. Veel viel af. Ik kan aardig verkopen, maar ik vind het niet leuk. Een prettige telefoonstem heb ik, maar in zo'n callcenter werken, daar bedankte ik eveneens voor. Jongleren zou ik wel willen, maar zelfs met twee ballen lukt het niet. Uiteindelijk stond er nog maar weinig op mijn lijstje. Twee activiteiten waarin ik mijn vaardigheid en mijn enthousiasme kon combineren.

Luisteren en schrijven. Daar zou ik mijn dagen en als het nodig was, ook een deel van de nachten mee vullen. Geen baas aan wie ik verantwoording moet afleggen. Niks zeggen, geen adviezen geven, geen freudiaans gelul, geen Rationeel-Emotieve Therapie of welke andere shit dan ook. Nee, mensen kunnen bij mij eenvoudig hun verhaal kwijt, in alle discretie overigens. Ik antwoord niet, ik oordeel niet, ik genees niet, ik luister alleen maar.

Mensen lopen rond met hun ziel onder de arm. Foute keuzes; vroeger dacht ik altijd dat ik de enige was die foute keuzes in het leven maakte. Of het nou mijn familie of de vriendenkring was, op televisie of op feestjes; altijd hoorde ik alles en iedereen zeggen: Nee, ik had het niet anders gewild, nee, ik heb nergens spijt van, het was juist wat ik deed.

Sinds ik deze praktijk heb, weet ik dat het allemaal grootspraak is. Veel mensen zitten in een verkeerd leven, zijn ontevreden over hun lichaam, hun studie, werk, partner. Vaak hebben mensen het gevoel dat het foute leven hun overkomen is, dat ze er zomaar ineens in zaten. Zich neerleggen bij het feit dat ze op essentiële momenten in het leven niet zozeer een verkeerde keuze hebben gemaakt, maar eenvoudigweg géén keuze, lijkt het moeilijkste te zijn voor mijn klanten.

Mijn werkwijze is simpel maar doeltreffend. Indien gewenst neem ik de monoloog op. En dan schrijf ik die uitgesproken tekst uit. Ik sla de haperingen en de stopwoordjes over, brei foute zinsconstructies recht. Ik maak er een goedlopend verhaal van, ingebonden en met een mooi omslag. De persoonlijke titel die het verhaal krijgt is wellicht het belangrijkste van het boek. Daar denk ik dan ook goed over na. Meestal besluit ik, in samenspraak met de klant overigens, om het verhaal simpelweg 'Het leven van...' te noemen, gevolgd door voor- en achternaam.

Een klant vertelde me vorige week nog dat dit voor hem beter werkt dan welke van de vele therapieën die hij in het verleden heeft gevolgd. Omdat hij alleen op deze manier afstand kon nemen. Omdat hij over zichzelf las alsof hij een hoofdpersonage in een boek was. En een hoofdpersonage blijft bewaard, heeft niet voor niets geleefd. Mensen willen in hun kleine, nietige leven toch eenmaal een heldenrol vervullen, een daad stellen. Erkenning voor hun problemen. Dat ik niks terugzeg of dat ze vaak alleen zelf over dat leven teruglezen, doet niets af aan het effect. Mensen vergeven zichzelf gemakkelijker dan anderen en ze dichten zichzelf ook maar al te graag een heldenrol toe.

Zoals gezegd, mijn praktijk loopt goed. Zo goed dat ik hulp nodig heb bij het uittellen van mijn winst. Financiën is niet mijn sterkste punt. Om het succes te vieren, gaan we met z'n allen eten in een restaurant met een ster. Na de fazant in champagne-truffelsaus zal ik hem mee naar buiten nemen. Via koetjes en de kalfjes zal ik het gesprek sturen in de richting van mijn vraag.

Het voorstel dat ik voor hem heb liggen, is te mooi om af te wijzen. Mijn nieuwe accountant zal goed betaald worden voor zijn diensten. Maar eerst moet er gewerkt worden, en hard ook. Ik ben bezig met de afronding van het verhaal van een vrouw met het all-inpakket. Laatste spelfouten eruit, hier en daar een woordje veranderen, controleren of het lekker loopt, dat het leest als een boek.

Een paar weken geleden heeft de vrouw voor mijn diensten getekend. Een mooie verschijning. Blond, opgestoken haar, zonder twijfel geverfd, maar in een kleur die niet onnatuurlijk aandoet. Blauwe ogen met diamantjes erin, omlijst door volle, lange wimpers. Een melancholieke lach, alleen op de momenten dat er eigenlijk niets te lachen viel. Haar kleding? Sportief en toch klassiek. Tweedjasje, witte blouse met opstaande kraag, strakke vale spijkerbroek in hoge bruinsuède laarzen. Ze lijkt me een beetje nonchalant, onhandig is misschien een beter woord. Twee glazen heeft ze vorige week over de tafel omgegooid.

Aan de buitenkant straalt ze. Alsof al het succes van de wereld haar ten deel is gevallen, maar ik heb geleerd me daardoor niet te laten misleiden. De levensverhalen die ik hoor zijn vaak hartverscheurend en dan maakt het niet uit hoe iemand eruitziet. Lang, klein, dik, dun, mooie en lelijke mensen, beschaafd of niet. Als mensen vertellen over wat er zich binnenshuis heeft afgespeeld, door welke gedachten of welke situaties ze worden getergd, dan tellen al die uiterlijkheden niet meer mee, als een afgepelde ui leggen mijn klanten zich op een presenteerblaadje voor me neer.

In de agenda staan ook nog twee afspraken met een oude bekende. Die heeft mijn telefoniste op afstand – overigens reuze handig, want in organiseren ben ik geen kei – voor me ingepland. Beetje vreemd wel: een sessie in de ochtend en dan nog een later op de dag. Maar goed, niet over nadenken nu. Tijd om aan de slag te gaan met het verhaal van de vrouw.

I

Thuis ben ik een zeikwijf geworden.

Ik raas en tier tegen man en kinderen. Waar ik vroeger bewondering oogstte om mijn engelengeduld, schiet ik nu uit mijn slof om een glas melk dat over mijn schone tafelkleed gaat. Een kind dat voor een keukenlade staat waar ik de pleisters uit moet pakken, krijgt een hardhandige duw in de rug. De pleister wind ik ruw om de vinger.

'Wat ben je toch een rund, om zo in je vinger te knippen. Heb je je verstand verloren? Waarom moest je ook deze schaar pakken? Jij hebt je eigen schaar. Ik ga je straf geven ook. Ga maar naar je kamer en je mag pas naar beneden als ik je roep.'

Naar bed brengen gaat al niet veel beter. Na het tot bloedens toe tandenpoetsen, gooi ik Kobus in bed. 'Mag ik alsjeblieft het hele boekje, mama?'

'Nee, een paar bladzijden, niet meer en dan moet je echt slapen.' Ik begin voor te lezen: '... en dan kan ze haar ogen niet geloven! Er ligt een krokodil onder haar bed; zijn grote groene ogen glinsteren in het ganglicht. Peggie smakt de deur dicht en holt weer naar haar papa en mama...'

Mijn ogen vliegen over de regels, ik struikel over mijn woorden. Ik wil de bladzijde al omslaan nog voor Kobus het plaatje heeft gezien. Mijn hoofd is er niet bij, steeds monotoner, steeds gejaagder klinkt mijn stem terwijl Kobus probeert met zijn handje tussen de bladzijden een rustiger voorleesritme af te dwingen. Het lukt hem niet, integendeel, mijn irritatie groeit er alleen maar door. 'En nu slapen,' zeg ik na de derde pagina en sla het boek met een klap dicht. Kobus begint te jengelen: 'Nou weten we morgen niet waar je verder moet, stoute mama. Je moet er iets tussen leggen domkop.'

Het gaat me niet eens om het woord dat hij gebruikt, het is meer de manier waarop hij 'domkop' uitspreekt, een beetje slepend en met het accent net iets sterker dan nodig op de eerste lettergreep. Zo klink ik ook, hij praat mij na. Wat vreselijk, denk ik, maar ik zeg niets. Mijn nachtzoen belandt boven zijn voorhoofd, ergens in zijn haar. Dan loop ik gehaast de kamer uit, sluit de deur.

Ik ga op de wc zitten en laat lopen wat ik het laatste uur heb opgehouden. Het klatert tegen de wand van de pot. Mijn maag ontspant zich. Eindelijk rust.

Dan zie ik het water in het bad. Op de rand ligt de stop. De kinderen zijn een uur geleden in bad geweest. Een bad overigens waar Thomas niet eens in past omdat we hebben nagelaten de afmetingen te controleren toen onze aannemer er een meenam uit Polen.

Ik pak de ontstopper uit het kastje en zet hem op het afvoerputje. Eén keer trekken, hem er nog een keer op zetten en weer trekken. Niks helpt. Het water beweegt op gelijke hoogte, trekt de rimpels die zijn ontstaan door mijn handelingen weer glad. Mijn blik gaat van het wateroppervlak naar het houtrot rechts in het raam.

De Polen zijn met de noorderzon vertrokken. Bartosz, de aannemer, neemt zijn mobiel niet meer op. Dat houtrot is nog wel het minste waar ik me druk om zou moeten maken. Veel erger is de lekkage bij de uitbouw in de woonkamer. Het regent nu al dagen onafgebroken en de teiltjes die we op het parket hebben gezet moeten om de twee uur geleegd worden. Thomas en ik negeren beiden wat er nu moet gebeuren. Moe zijn we van het onderhandelen met Bartosz en zijn kornuiten en we kunnen het niet opbrengen een nieuw klusbedrijf te zoeken. Bovendien, wie zegt dat zij het kunnen repareren? De Polen hebben het, voor ze verdwenen, nog weer helemaal onder gesmeerd met siliconentroep uit Polen. Beresterk spul volgens Bartosz. Geen spatje water zou zijn weg naar de binnenmuren meer kunnen vinden. De dag erna vertrok hij voor onbepaalde tijd naar Polen; een oma die op sterven lag of zoiets.

Een week later ging het regenen en toen we na een nacht vol plensbuien beneden kwamen, lag er een grote plas water op mijn prachtige eikenhouten vloer. Overal zit het siliconengoedje, ook het glas van de uitbouw en de peperdure 'Codaflex-keramische tegels' op het balkon hebben zwarte vegen. Dat het sterk spul is, wil ik best geloven, want ik heb gisteren twee uur lang tevergeefs geprobeerd de zwarte vegen van de tegels te krabben.

Met Bartosz hebben we trouwens nóg een appeltje te schillen. Hij heeft op het graf van zijn moeder beloofd dat hij nog een keer terug zou komen voor de piano. Hij zou die met zijn supersonische bus en zijn sterkste mannen in ons nieuwe huis afleveren. Een service van zijn kant omdat de verbouwing zo gigantisch uitliep en al het stof en gruis funest zou zijn voor de Hermann Jacobi. Nog altijd staat de piano bij vrienden in onze oude woonplaats.

Met een diepe zucht trek ik de badkamerdeur achter me

dicht. Vermoeidheid is een zware deken. Met gekromde rug en een muts van beton diep over mijn oren getrokken, strompel ik de trap af.

'Het water van het bad loopt niet weg,' zeg ik als ik de woonkamer binnenkom. Thomas kijkt op van zijn krant. 'Zullen we een spelletje doen, schat, net als vroeger?' vraagt hij. Ik kijk naar hem, hoor het verlangen in zijn stem, een hang naar luchtigheid en zorgeloosheid, een hunkering naar hoe het was tussen ons, voordat het gebeurde. Mijn blik richt zich op zijn vers gekweekte buik, waarbinnen op- gekropt verdriet gedrogeerd wordt door McDonald's-ham- burgers, toffees en Pepsi Max. Maar ik heb net een heel weekend van wassen, strijken, koken en koekjes bakken achter de rug. En die verstopping is meer dan ik aankan op dit moment. Ik kan het niet opbrengen nog langer aan- dacht te geven en op te lossen, te luisteren naar mensen om me heen die hulp behoeven. De kinderen liggen in bed en nu is de tijd voor mij. Ik wil louter en alleen nog luisteren naar de stem in mijn hoofd. Een stem die zegt: Ga nou maar even doen waar jij zin in hebt, toe maar, je hebt het ver- diend. Ik verlang ernaar verzorgd te worden als een kind: ingestopt te worden onder een warme deken, kruikje erbij en dan sust zij me in slaap. Ik mis haar.

'Wat nou, net als vroeger,' snauw ik naar Thomas. 'Vroe- ger is voorbij. Zit niet zo te zeuren. Je zat altijd al met je vingers in je neus met de tv keihard aan en ook vroeger luis- terde je nooit naar wat ik te vertellen had. Geen verschil hoor, tussen vroeger en nu. Nog steeds dezelfde shit.' Tij- dens mijn tirade pak ik de krant van hem af, maak er een bal van en gooi die naar zijn hoofd. Ik trek de deur met een harde klap achter me dicht.

Boven in de badkamer wacht ik. Vijf minuten gaan over

in tien. Na een kwartier geef ik het op. Hij komt niet. Mijn ogen prikken. Ik plens er koud water over en trek met een pincet wat haartjes boven mijn lip uit. Terwijl ik nachtcrème opdoe, vraag ik me af wat het er eigenlijk nog toe doet. Of ik rimpels heb, of ik mijn tanden poets, of ik nachtcrème opdoe of niet en of ik mijn snor weghaal of laat staan; wat maakt het voor verschil?

De haren op mijn benen zijn gegroeid tot de lengte van die van een orang-oetang en ik kan een hele jungle op mijn venusheuvel zaaien, het zal niet opvallen. Ik deel mijn naaktheid met niemand meer. Al maanden waak ik ervoor dat mijn man zelfs maar een klein bloot deel van mijn lichaam ziet. Ik kan zijn wellustige blikken niet verdragen. Ik gruw ervan. Hij ziet mij nog steeds als de persoon die ik was voor het gebeurde. Iemand die het leven met gretige armen omhelst. Iemand die geeft en geeft zonder iets terug te verwachten. Iemand met wie je lol kan hebben en die redelijk is. Hij denkt dat rouw een vaste tijdspanne kent. Een maand verdrietig zijn: heel normaal, twee maanden wekt ongeduld en daarna is het aanstellerij. En wat het misschien wel het moeilijkste maakt, is dat ik het met hem eens ben. Ik haat dit passieve, zielige wezen dat in mij is gekropen. Maar ik heb er geen oplossing voor.

In bed trek ik de deken over mijn hoofd. Het tikken van de regen tegen de balkondeuren kalmeert me enigszins. Ik probeer niet naar de foto links op mijn nachtkastje te kijken, want ik weet dat dat me weer van streek zal maken.

's Nachts om kwart over twee schrik ik wakker van Thomas die de kamer in komt. Hij valt elke dag voor de tv in slaap. Nooit meer gaat hij tegelijk met mij naar bed. Soms doe ik nog een poging. Dan roep ik hem rond middernacht.

Zijn antwoord is steevast: 'Nog even deze film afkijken, dan kom ik.' Hij komt nooit voor twee uur.

Alsof het klaarlichte dag is, komt hij met veel lawaai de slaapkamer binnen. Hij kucht, doet zijn bedlampje aan en laat een dikke scheet. Dat ik van hem wakker word, is hem blijkbaar om het even. In de stilte van de nacht lig ik daarna te piekeren. Is er nog genoeg over? Tussen hem en mij, is er nog een uitweg? Ik pieker tot de slaap me redt.

De volgende dag ben ik vrij van mijn werk. Op maandag kan ik uitslapen tot halfacht. Ik voel me geradbraakt, heb nergens zin in.

Op de automatische piloot smeer ik in de keuken boterhammen voor iedereen. Drie met chocopasta, een met boter en pindakaas, een met kaas zonder boter, twee met boter en smeerworst. Melk inschenken, koffiezetten. Thomas komt achter me staan en slaat zijn armen om me heen, plant een kus in mijn nek en zegt: 'Tot vanavond, ik ben laat thuis.' Ik reageer nauwelijks, ga door met smeren.

De kinderen gaan zo naar school en blijven over. Pas om drie uur moet ik weer aantreden. De hele dag slapen. Wegzinken in het niets. Niet nadenken, geen beslissingen hoeven nemen, geen vragen hoeven beantwoorden.

Bij het licht van de lamp boven de spiegel borstel ik het haar van mijn dochter. Langzaam beweeg ik de borstel van boven naar beneden, ik laat wat strengen door mijn vingers glijden en kan niet meer ontkennen wat ik al dacht te zien. Er beweegt iets zilvergrijzigs in het haar van mijn kind. 'Shit, je hebt luizen.' Ik trek bij Frederikke haar jas aan en zeg: 'Je gaat gewoon naar school. De luizenmoeders komen pas weer over drie weken. Niemand zal het merken. Ik koop vanmiddag wat spul en was jullie haren vanavond.'

Het komt er in een stortvloed uit. Wat ongelooflijk stom,

ik had gewoon mijn mond moeten houden. Frederikke begint te huilen. Als ik haar een duwtje geef en zeg dat ze voort moet maken omdat ze anders te laat op school komt, is het hek van de dam. Ze plant haar voet achter de deur, grijpt de knop vast en schreeuwt: 'Dat mag niet, mama, met luizen mag ik niet naar school, dat weet je toch, dan kunnen de andere kinderen ze ook krijgen. Jij wilt dat ik met luizen de klas in ga; nou echt niet.' Ze stampvoet nu en door de deuropening zie ik de buurvrouw passeren. Die doet net of ze niets hoort.

Ik trek Frederikke naar binnen en loop even later zonder iets te zeggen de deur uit om Kobus en Lotta naar school te brengen. Nadat ik hen heb afgezet, wachten Frederikke en ik thuis tot het middaguur, wanneer de winkels opengaan.

Omdat het bad nog verstopt zit, kies ik voor lotion. Die hoef je niet uit te spoelen. Ik smeer het spul in Frederikkes haar. Van de lucht moet ik kokhalzen. Ik bind daarna een vrolijk doekje om haar haar en zet Frederikke in de regen af bij school. Thuis was ik het beddengoed en stofzuig ik alle kamers, knuffels en kussens. Ik kan maar aan één ding denken: vanavond, als de kinderen in bed liggen, mag ik slapen.

Als Thomas thuiskomt, vraagt hij: 'Lekker dagje gehad?'

De snerpende toon van mijn stem herken ik niet, hij behoort iemand anders toe: een verbitterde en onaangename vrouw. Zo'n vrouw die ik nooit wenste te worden. 'Nee, het was helemaal niet lekker. Frederikke had luizen en ik ben net klaar met het luisvrij maken van het hele huis.'

Thomas staat ondertussen de post door te nemen: 'Hé wat leuk, Machteld en Bruno gaan trouwen; de zeventiende juli.' 'Dan kunnen we niet, dan is Hélène jarig.'

Waarom doe ik zo? Waar ben ik nou precies zo boos over? Dat hij me een vraag stelt maar niet naar het antwoord luistert? Dat hij de huwelijksdatum van zijn collega niet direct in verband brengt met de verjaardag van zijn schoonzus? Dat hij daar, als ik hem erop wijs, ook geen enkel probleem in ziet? Dat hij niet stante pede met oplossingen aankomt en aangeeft hoe het die dag dan moet met de kinderen, met de verjaardag van Hélène. Waar moet ik trouwens een jurk voor de bruiloft van betalen?

Of is het de onderliggende gedachte waar ik door geteisterd word: ik heb geen zin, geen zin, geen zin in een feest, geen zin in wat dan ook.

Altijd chagrijnig, altijd moe ben ik. De sprankeling is weg. Vroeger was het ook voortdurend alle zeilen bijzetten. Toen nam ik de hectiek als een tijdelijke vanzelfsprekendheid. Wat wil je anders in een gezin met drie jonge kinderen en twee drukke banen? Mijn humor en relativeringsvermogen redden me keer op keer.

En mijn moeder, dat moet gezegd. Als wij op ons laatste tandvlees liepen. Als wij een week hadden waarin alles tegelijk kwam. Zo'n week met oorontsteking, diarree, ouderavond, autopech, vergaderingen en gedoe op het werk, dan was mijn moeder daar.

'Gaan jullie het er maar even goed van nemen dit weekend. Ik pas op de kinderen. Ik heb voor zondag kaartjes voor *Kikker* van theater Terra. Gezellig, toe maar, jullie doen mij er een plezier mee.'

Thomas en ik keken elkaar dan aan en knikten. Hij belde onze favoriete stek. Een hotelletje op een duin. Helemaal niet zo ver weg maar ver genoeg om weer bij te tanken. Om te ontdekken dat we nog seks in onze lijven hadden, dat we elkaar nog mooi vonden. Dat we bij tijd en wijle nog van elkaar waren en niet louter ter beschikking stonden van werkgever of kinderen.

Ontzield ben ik.

De aftakeling van aangenaam, vrolijk en mooi mens tot dat behaarde zeikwijf begon nu bijna twee jaar geleden.

II

'Islands in the Stream' van Dolly Parton en Kenny Rogers. Schuchter zet ik in, maar snel wint de vrolijkheid het van de schaamte over mijn barre zangkunst. In mijn maag borrelt het, blijdschap kookt over terwijl mijn ogen zich in spleetjes boren door de koker van blauw boven mij, en mijn longen vangen lucht in bibberige klanken. De fiets slingert en zwabbert over het smalle fietspad. Bijna verlies ik mijn evenwicht door de tas aan het stuur. *No one in between, how can we be wrong,* zing ik tegen de dossiers in de shopper. Jullie zijn volgende week aan de beurt, eerst mijn welverdiende vakantie innen. Baldadig bel ik naar de jongens op hun skateboards die bij het passeren naar me fluiten. 'Weten jullie het wel zeker? Ik ben de dertig al ruim gepasseerd hoor,' roep ik ze na.

Vandaag heb ik van mijn baas gehoord dat ik de groep hoogopgeleiden krijg, na een hoop getouwtrek met mijn collega Yvonne, die er al weken op aast. 'Jij bent deskundiger en bovendien nooit ziek,' beargumenteerde hij zijn keuze. Inwendig schaamde ik me. Yvonne met haar hartkwaal. Echt aardig vind ik haar eerlijk gezegd niet, maar deskundig is ze zeker. Bovendien loopt ze al veel langer op de afdeling rond. Na de klasjes alfabetisering voor anderstalige vuilnismannen, die vaak om wat voor reden dan ook niet kwamen opdagen, kijk ik echter reikhalzend uit naar wat eruditie. Op de lijst heb ik een arts gezien uit Brazilië, bouwkundigen uit Marokko en Japan, een modeontwerper uit Georgië. Ik zal mijn moeder voorbereiden. Ze zal het geen probleem vinden zo nu en dan bij te springen.

Ze woont alleen in het ouderlijk huis in het uiterste zuiden van het land. Als ik aan haar denk, ruik ik de trappisten-runderstooflapjes met puree van haar zelfgeteelde aardappels. Ik hoor het rammelen van de potten en pannen, voel de geruststelling die van haar uitgaat terwijl ze moeiteloos de huishoudelijke handelingen van me overneemt. Ook na het weekend, als Thomas allang weer thuis is omdat hij nu eenmaal slechts vijf weken per jaar vrij heeft, mag ik in de rol van dochter blijven.

Het is voorjaarsvakantie. Oma heeft Lotta, Frederikke en Kobus de overdekte speeltuin beloofd. Trampolines, een wildwaterbaan, botsauto's en een speelkasteel; de kinderen verheugen zich er al weken op. Ze vinden het alle vier leuk als ik meega, maar als ik ga shoppen of de hele dag in bed wil blijven, is dat ook oké. De andere dagen zijn er speeltuinen in de buurt of gewoon de kisten bij oma thuis, gevuld met spulletjes die ze op vlooienmarkten in België voor hen heeft gekocht.

Het zal morgen onderweg gaan zoals altijd. Ik zal mama bellen dat we er echt aan komen maar wel in de file staan. Wordt het toch een snack onderweg of redden de magen het tot oma's soep? We nemen de afslag. Vanaf de snelweg kijken we nog even uit over het heuvellandschap, wat zendmasten in weilanden verzonken en in de verte de grijze contouren van de stad, met de brug over de rivier als een schildersveeg in het avondrood. Over de rotonde gaan we, onder het viaduct door, de kinderen luidkeels zingend: 'We zijn er bijna.' Door de smalle Lepelstraat, de Belgisch aandoende huizen, op de hoek de rode muur, een bocht naar rechts en we zijn er.

Ze staat al een uur op de uitkijk, doet de deur open. De kinderen vliegen haar om de hals, snuiven vervolgens de lucht van het huis op. Die heerlijke geur van beloftes, van verzekerde geluksmomenten, het net niet te harde eitje bij het gezamenlijke ontbijt, de knapperige puntjes van Kaersemakers, de bakker op de hoek die ons al meer dan twintig jaar van brood en vlaai voorziet.

Het is koud in het huis. Ik trek een vest aan en zij draait aan de thermostaat. Lichtelijk geïrriteerd, want ze kan zelf niet goed tegen warmte. Iedereen laat de hele tijd de deur van de kamer openstaan. Ze moppert wat, maar met een glimlach om haar lippen.

Ons tuinhekje hangt uit zijn scharnieren en klapt tegen de trapper van de fiets als ik hem de tuin in rijd. De voordeur gaat open en de kinderen vliegen in mijn armen. Alsof ik vandaag meespeel in een margarinereclame: dat kapotte tuinhekje, het gebarsten ruitje in de voordeur, de afgebroken regenpijp; grappige accenten om de harmonie van het beeld enige realiteitszin te geven.

Met Kobus die op mijn rug gesprongen is en een dochter aan elke hand loop ik ons huis binnen. Veeg mijn voeten nog even op de welkomstmat en lach naar het mandje krokusjes op het bankje voor het raam. Ze staan in bloei. De reclame spat bijna uit elkaar.

Verstoord kijkt de oppas op van de soap op het tv-scherm. Ik ben een klein uur eerder dan afgesproken. Op de normale tijd zou ik de kinderen aantreffen met fiets, step of skateboard op het speelterrein achter ons huis. Tevreden zou ik knikken naar de oppas die op een bankje vanachter haar kruiswoordpuzzel de boel in de gaten hield. Nu besluit ik mijn goede bui vast te houden en niets te zeggen over de open chipszak waarin de hand van Lotta verdwijnt.

Ik loop door naar de tuindeur, druk de klink omlaag. Met mijn rechtervoet geef ik een schop tegen de onderkant.

De zon drukt op de daken van de huizen en het is met twaalf graden aardig warm voor de tijd van het jaar. Een geur van takken, zwarte aarde aangelengd met gras, bloesem en hyacint dringt in mijn neusgaten. Een geur die ik herken op het moment dat ik hem ruik. Een zojuist geboren lente. De wortels van de wilde wingerd klimmen langs de gevel omhoog. Mijn blik fixeert zich op een druppel, bungelend aan een blad, die zich uitstrekt en zich vormt tot een traan van een zigeunerjongetje op zo'n goedkoop schilderij. De druppel laat los. Mijn ogen volgen hem, maar zonder het blad waarmee hij zojuist nog verbonden was verdwijnt zijn identiteit. Ik sluit de deur. Draai de sleutel om. Alvast voor morgen.

Terwijl de oppas bezig is haar jas aan te trekken, gaat de telefoon. Ze vertelt net dat ze niet terugkomt na de vakantie omdat ze een lange reis gaat maken; haar man is vanaf volgende week met pensioen, had ze dat nog niet gezegd? Ik neem de telefoon op en de oppas stapt de deur uit nog voor ik kan reageren. Ik zwaai haar met mijn vrije hand wat hulpeloos na.

'Ja, hier met Ronald. Zeg, moet je horen, niet schrikken maar mama is opgenomen in het ziekenhuis. Ze heeft een TIA gehad.' Ik hoor wat mijn broer zegt, maar het dringt niet echt tot me door. Mijn probleem is de oppas en hoe ik dat nou weer moet oplossen: opvang voor de kinderen vinden op de drukste dag van de week. Daarnaast wordt mijn reactie danig vertraagd door mijn schatjes, die om me heen lopen te schreeuwen om aandacht. De een wil dat ik kijk naar een tekening, de ander wil een rijstwafel met smeerkaas en als ze merkt dat ik niet reageer, een snoepje... of twee. De derde schreeuwt gewoon mee. Ik kan mijn broer nauwelijks verstaan en duw de hoorn dichter tegen mijn oor.

Midden in de nacht moest mijn moeder plassen. Ze kon ineens niet meer van het toilet overeind komen, had geen kracht meer in haar linkerbeen. Ze liet zich dus maar op de badkamertegels vallen. Ze sleepte zich vervolgens naar haar slaapkamer. Er is boven geen telefoon. De hele nacht lag ze in haar bed te wachten tot de buren ontwaakten. Vervolgens wist ze op haar billen naar het tuimelraam te schuiven, waar ze door het geopende raam om hulp schreeuwde. De enorme kastanjeboom in de hoek van de voortuin onttrekt grotendeels het zicht op het raam. Bovendien wordt de tuin omsloten door een hoge heg. Het duurde even voor de buurvrouw wist waar het geluid vandaan kwam. Pas toen ze met haar teckel wilde oversteken, zag ze de zwaaiende arm van mijn moeder tussen de takken door. De buurvrouw haalde snel de reservesleutel uit haar keukenla en hielp mijn moeder, die in paniek was, maar wel weer wat gevoel in haar been had, de trap af.

Na urenlang wachten, meldde zich de stagiair van de huisarts. Die liet onmiddellijk een ambulance komen.

Roffelende pauken, de schilder werpt met een kwast vuurrode verf op een doek. Traag druipt de verf omlaag, als druppels bloed na een speldenprik. Vanaf de bovenste plank in de kast staart een knuffelbeer van Kobus me meewarig aan. De tijd snelt de margarinereclame voorbij. De margarine ligt bedorven in zijn kuip.

Later ben ik bezig een tas in te pakken. Dat ik zo snel mogelijk een trein naar het zuiden moet nemen, staat vast. Zoals zij er altijd voor mij is, zo wil ik er nu voor haar zijn. Maar wat neem ik mee, hoe lang blijf ik weg, gaan we nu nog wel uit eten voor haar verjaardag en moet ik die nieuwe jurk nou wel of niet in de tas stoppen? 'Een TIA is slechts een tijdelijke belemmering van de bloedtoevoer naar de hersenen,' heeft Ronald nog uitgelegd. Niets levensbedreigends, maar mama moet voorlopig wel in het ziekenhuis blijven.

Terwijl ik steeds weer inspreek op de mobiel van mijn echtgenoot drentelen de kinderen om me heen. Ze torpederen me met hun vragen, die opgaan in de mijne als in een vals a-capellakoor. Thomas, neem nou op, 'Mama, wat is er met oma?' Waarom is Ronald er weer eerder bij dan ik? 'We gaan toch wel naar de speeltuin?' Waarom nam ik mijn mobiel tijdens de lunch niet op? 'Mama, wat eten we vanavond? Mama, mag ik een snoepje? Mama, waarom kijk je zo verdrietig?' Waarom krijg ik verdomme Thomas niet te pakken?

Ronald vindt dat ik misbruik maak van mijn moeder. Dat ik haar belet een eigen leven op te bouwen in het zuiden omdat ik haar voor 'elk wissewasje' de trein in manoeuvreer. Als ik maar een beetje hoofdpijn voel opkomen, bel ik. Haar komst verdrijft de pijn. De was ligt voor de verandering weer eens gestreken in de kast. Schoon en goed gevoed liggen de kinderen dan op tijd in bed. Voor ze komt haal ik vla met kwark en cruesli in huis: haar lievelingsdessert. Ik kook extra lekker. Als ze er later dan de afgesproken tijd is, dan heeft de trein vertraging; aan haar zal het niet liggen. Na het afbellen van de afspraken voor de komende dagen zal ze zich naar boven begeven, waar haar gebloemde rood-witte trolley staat. Een boek stopt ze daarin, een nacht-hemd, schoon ondergoed, een tandenborstel, foundation en natuurlijk haar krulspelden. Meer heeft ze niet nodig. Ze gebruikt geen make-up. Alleen foundation voor haar bleke huid. Ze zweet nauwelijks. Ze ruikt naar de zeep die ze gebruikt, naar lelietjes-van-dalen, botersnoepjes en ho-ning. Ze is het verloren muiltje dat Thomas aan mijn voet schuift om van Assepoester zijn prinses te maken.

III

Op de Route du Soleil rookte mijn vader onafgebroken sigaren. Ter hoogte van waar nu het ziekenhuis ligt, wierp ik,
minder dan een kwartier onderweg naar de zon, spruitjes
met toffees over het asfalt. We vervolgden de reis terwijl ach-
tereenvolgens mijn moeder en Ronald hun maaginhoud
leegden in de smerige toiletten van rustplaatsen langs de
weg tot papa ergens onder Parijs capituleerde. In de deksel
van de lege thermoskan – de asbak zat vol – doofde hij de
laatste sigaar die hij in de auto rookte. Dat hij daarna elk
halfuur de 2cv bij een tankstation tot stilstand bracht voor
zijn Senorita en een kop espresso, namen wij op de koop toe.
Ons was immers een camping aan zee beloofd in plaats van
de gebruikelijke vakantie met kerk- en kasteelbezoek in En-
geland of Italië.

Terwijl Ronald en ik onze dagen doorbrachten op het
strand en 's avonds op de campingdisco voor het eerst expe-
rimenteerden met Franse tongzoenen, zaten papa en mama voor de stacaravan boeken te lezen uit hun meegenomen bibliotheek.

Vanaf de A2 buigt de weg af, leidt ons via een ogenschijn-
lijk inderhaast geplaatst decor van mergelhoeven, kapelle-
tjes en onlangs bemeste akkers naar de parkeergarage van
het ziekenhuis.

Gisteravond stapte ik uit de trein via de armen van mijn broer het verleden in. Het was een ogenblikkelijke metamorfose van een moeder naar een zus en een dochter. Bij het afscheid op het perron had ik met mijn vingers nog door het haar van mijn dochters gestreken. Hun speldjes zette ik met een liefdevol gebaar opnieuw vast in het haar. Kobus' snottebel verwijderde ik met een zakdoekje uit mijn tas en bijna gelijktijdig omhelsde ik Thomas en ik vroeg hem vervolgens of hij overmorgen, als hij en de kinderen ook naar Limburg kwamen, toch echt niet te hard wilde rijden.

De meer dan tweehonderd kilometer lange reis bracht me een zee van tijd waar ik onwennig in rondzwom. Hoe lang was het geleden dat ik een krant van begin tot eind kon doorspitten? In de slaap die daarna volgde, werd ik een relaxed wezen met ergens diep opgeslagen wat zorgen over mijn moeder, tot de trein met een schok en wat pufjes tot stilstand kwam. Aan het begin van het smalle perron dook de lange gestalte van mijn broer op in de donkere nacht.

'Waarom heb je toch altijd zoveel rotzooi bij je?' grinnikte Ronald, terwijl hij wees op de tas waarvan de rits kapotgegaan was tijdens de reis en waaruit tijdschriften, boeken en kleren staken. Met lichtelijke ergernis nam hij de tas van me over.

Even later snoof ik de lucht op van het huis als een junk zijn coke. De kou die me tegemoetkwam bij het betreden van de woonkamer deed me thuiskomen, en zoals altijd zette ik de thermostaat hoger, waarbij mijn broer zijn wenkbrauwen lichtjes fronste.

Vervolgens begon ik mijn dwaaltocht over de verdiepingen alsof ik verwachtte dat mijn moeder zich ergens had verstopt. De trap kraakte. In de badkamer stonden zoals altijd de plastic kaboutertjes op de vensterbank bij het raam en op de houten plank onder de spiegel het flesje parfum dat ik op mijn eerste vakantie zonder ouders voor hen had meegenomen. Met drie vriendinnen met een bus naar een camping ergens waar het warm was. 'Parfum de Grasse' staat er op het flesje. Altijd ruik ik er even aan, en dan brengt de weeïge verdampte bloemenlucht me terug bij die vakantie.

Het regende de hele tijd en na een paar dagen was niet alleen het koepeltentje van mijn beste vriendin maar ook de inhoud, inclusief al onze kleren, doorweekt. 'Ook voor jongeren is er van alles te doen.' Dit zinnetje uit de brochure had onze keuze bepaald. 'Alles' bleek te bestaan uit een tafeltennistafel en een zwembad dat op de tweede dag van ons verblijf gesloten werd wegens groot onderhoud. De campingdisco werd bezocht door bouwvakkers die na het beton malen, metselen en timmeren van de nieuwe vakantiehuisjes naast onze tent wel toe waren aan een biertje of tien.

Op de busreis terug stopten we bij een wegrestaurant, waar een man me bij het verlaten van het damestoilet van achter in mijn kruis greep. Mijn vader en mijn moeder stonden bij het eindstation op me te wachten. Met stoere verhalen verhulde ik de waarheid. Ik was nog niet klaar voor de overweldigende buitenwereld. Zonder mijn ouders bakte ik er niets van. Toch vocht ik voor mijn zelfstandigheid. Ik moest en zou op eigen benen staan. Pas jaren later, na de geboorte van mijn eerste kind, werden de schakels weer aan elkaar vastgeklonken. Veranderde mijn moeder van bemoeizuchtig en ouderwets in mijn personal coach, die me door de sleur en valkuilen van het burgervrouwbestaan sleepte.

Als kind was ik een moederskindje, als moeder werd ik het opnieuw.

De dwaaltocht door het huis bracht me uiteindelijk weer in de woonkamer, waar mijn broer een glas bordeaux uit mama's voorraad voor me inschonk. Ik wist wat er ging komen toen hij achteroverleunde en het glas op de binnenkant van zijn hand liet balanceren. Ronald besprak zoals altijd zijn werk alsof hij zojuist door Nicole Kidman (volgens hem de mooiste vrouw ter wereld) mee uit was gevraagd. De Saoedische oliebaronnen hadden hem deze keer niet als accountant, maar als consultant ingeschakeld. Terwijl hij vertelde over de megadeal die dankzij hem gesloten was en over zijn nieuwe werkkamer van zestig vierkante meter, zag ik mijn kans.

Ik schonk zijn glas zodanig bij dat het rode vocht over de randen gutste op het houten tafelblad. Ronald verdween hoofdschuddend over mijn onhandigheid de keuken in, om vervolgens zuchtend en steunend de onderkant van zijn glas en het tafelblad droog te deppen en op een ander onderwerp over te gaan.

Hij was direct na haar telefoontje in de auto gestapt. Had wel anderhalf uur in de file gestaan, maar was nog in staat geweest haar 's middags in het ziekenhuis te bezoeken. 'Onbereikbaar was jij zoals gewoonlijk, mama had het de hele ochtend geprobeerd en daarna heb ik... Wat is er?' Ik had op mijn lip gebeten. Met mijn tong likte ik het bloed weg. Het verwijt in zijn stem kwam hard aan. Vorige maand had ik ook al de ergernis van Thomas op mijn hals gehaald door mijn telefonische nalatigheid. Hij moest toen halsoverkop een zieke Frederikke van school halen terwijl ik op mijn vrije dag in de Bijenkorf ruzie stond te maken met een veel te smalle spijkerbroek. Zo gaat het altijd: ik hoor mijn telefoon niet of ik ben te laat met opnemen.

Ronald had mama aangetroffen op een brancard van de

spoedeisende hulp waar ze nog enkele uren doorbracht voor er een ziekenhuisbed vrij was. Daar moest ik van huilen. Hij sloeg heel lief zijn arm om me heen en zei: 'Tijd om orde op zaken te stellen, zus.' Orde en regelmaat, daar houdt Ronald van. 'Het huishouden van Marieke Steen,' spotte hij laatst bij ons thuis. Zijn jas legde hij bij gebrek aan een vrij haakje over de trapleuning en op de bank bleef hij maar chipsresten van onder zijn zitvlak en tussen de kussens uit halen.

In zijn villa aan de rand van de duinen lonkt de door hem gevestigde perfectie dagelijks naar smet, roest en defecten. Het balkon moet opnieuw geschilderd worden, boven de voordeur moeten originele glas-in-loodramen komen, zijn tuin heeft alweer een nieuwe grasmat nodig en het aanrechtblad volstaat niet meer. Ronald werkt. Bij het accountantskantoor én thuis. Non-stop.

Zijn leven loopt langs zorgvuldig geordende, regelmatige lijnen. Ik speel daarin de stoorzender. Op een zondag met het hele gezin onverwachts komen aanwaaien is bij hem geen goed idee. Toch proberen Thomas en ik het soms als we onderweg zijn naar het strand. Als zijn vrouw Hélène thuis is, laat ze ons wel binnen; dan schenkt ze ons thee uit haar Chinese porselein alvorens ze zich weer buigt over haar interieurtijdschriften.

Ronald doet meestal de deur niet open. Door de brievenbus hoor ik Chet Baker en timmergeluiden. Op mijn 'Is er iemand thuis?' wordt niet gereageerd. Als hij wel opendoet, zegt hij nors dat hij geen tijd voor ons heeft. Zijn *to-do list* dient afgewerkt te zijn vóór tien uur 's avonds, als hij naar bed gaat.

Alles ging die avond in mama's huis anders. Na middernacht leegden we de fles. Ik had natuurlijk wel iets meer

gehad dan hij. Dat ik geen maat kan houden wat drank betreft is hem bekend sinds hij me op een eindexamenfeest
redde van de Pisang Ambon en een minstens tien jaar oudere jongen die me dat spul rechtstreeks uit de fles met
een rietje voerde.

In de badkamer poetsten we samen onze tanden. Ver-
trouwd en geruststellend tot hij zijn mond afveegde aan
een van de hagelwitte, zachte handdoeken en me zei dat ik
er verstandig aan zou doen de volgende dag in het ziekenhuis mijn emoties voor me te houden. Anders zou mama
maar van streek raken.

Ronald wilde op zolder, waar hij vroeger ook zijn kamer
had. Ik kroop in mama's bed. 's Nachts wekten geluiden,
vergroeid met het huis en zijn omgeving, me een paar keer.
De zwiepende takken van de kastanjeboom die af en toe
heel licht mijn moeders slaapkamerraam raakten. De klok
van de St. Josephkerk die elk uur van de nacht sloeg. De kra-
kende derde tree van de trap die mijn broer beroerde tijdens zijn gang naar de wc. Boven alles uit klonk het geluid
van haar ontbrekende ademhaling naast me.

IV

Geroutineerd parkeert Ronald zijn lease-Volvo achteruit in, nauwkeurig binnen de witte lijnen van de ondergrondse garage, terwijl hij zijn monoloog vervolgt: 'Als mama weer beter is, gaan we toch echt proberen haar bij ons in de buurt te krijgen.' In een restaurant waar we onlangs de sterfdag van mijn vader memoreerden, hadden mijn broer en ik onze zorgen uitgesproken toen mama even naar de wc was. Wat als mama alzheimerpatiënt of gewoon hulpbehoevend werd, wat als haar botten versleten zouden raken en haar reumatische handen de soep op het vuur niet meer konden roeren? Onze steun zou zich dan, gezien de afstand, beperken tot de weekenden en wat telefoonverkeer.

'Een van de jongens van mijn squashteam blijkt de projectontwikkelaar te zijn voor die nieuwbouw waar ze zich vorig jaar voor ingeschreven had. Ik zal eens een balletje opwerpen.' Ik knik instemmend, en toch steekt het me dat hij Thomas en mij niet op dezelfde wijze steunt bij onze verhuisplannen. Misschien passen wij niet in zijn zorgvuldig uitgezette territorium. We zouden met onze impulsieve emotionele reacties zijn geordende leven kunnen verstoren. Ondanks Ronalds lauwe reactie gaan we binnenkort toch op zoek naar een koophuis in zijn stad. Wij willen op de fiets naar het strand kunnen, om binnen een halfuur met blote voeten in het zoute water te staan. Onze eerste afspraak met een hypotheekadviseur is al gemaakt.

In een visioen zie ik mijn moeder voor me. Vanaf het tuinpad voor mijn huis zwaait ze naar mij, naar Frederikke, Lotta en Kobus terwijl wij in de deuropening staan. Op weg naar mijn broer gaat ze. Het is maar een korte wandeling. Haar gebloemde trolley trekt ze achter zich aan en lachend draait ze zich nog een keer om.

Tussen de smetteloos witte muren van de ziekenhuisgangen voel ik de tijd decennia vooruitspringen, naar een Star Wars-wereld vol mensen in witte pakken die ijzeren apparaten achter zich aan trekken met doorzichtig plastic vol ondefinieerbare vloeistof.

De kleur van het maagdelijke, het reine contrasteert met de geur van een inderhaast ontruimde slagerij. Lamsvlees in koelvitrines, dat ruik ik. Het huis van de zieken lopen we in, de lijders en de overlijders. Levers en overlevers stappen in tegengestelde richting over de drempel, een paar seconden radeloos vanwege de hun toebedeelde vrijheid terwijl hun ogen gevangen raken in het licht van de zonnestralen.

Maar mama zit daar, in haar cel. Met haar mooie roze-paars geblokte pyjama aan, die hebben we nog geen maand geleden samen in de uitverkoop gekocht. Ze zit rechtop in bed, haar vochtige ogen kijken me schuldbewust aan. Het eerste wat ze zegt: 'Sorry voor dit gedoe.' Wat haar overkomt, is ondergeschikt aan wat het met haar kinderen doet. Ze sluit me in de armen. Gesmoord in haar warme veiligheid voel ik de omgeving zich om haar vormen, zachter worden. Het raam aan de zijkant van de kamer met uitzicht op de patio legt de vakantie van toen aan de Côte d'Azur bloot. In het blauwe linoleum van de vloeren droom ik de Middellandse Zee, omzeil ik de bezoedelde wereld van dit oord dat voorlopig een streep zet door de plannen die wij met het leven hadden.

Als ik mama vraag hoe ze zich voelt, begint ze te fluisteren over mevrouw Odje, dat irritante mens tegenover haar. Mevrouw Odje wil praten, vierentwintig uur per dag praten over het weer, het vieze eten in het ziekenhuis, de tv-programma's waar zij wel naar kijkt, maar mijn moeder niet. Verder grapt mama over het feit dat er voor het eerst sinds papa's dood weer een man naast haar slaapt. 'Helaas niet zo aantrekkelijk als jullie vader,' zegt ze, eerst met een glimlach en vervolgens met een blik van afschuw. Als zij na de meneer het toilet bezoekt, is ze steevast bezig de pot en de vloer voor de wc van kloddders witgele smurrie te ontdoen.

We besluiten ons naar de recreatieruimte te verplaatsen. Mevrouw Odje, die ons naroept: 'Snel terugkomen, hoor, de herhaling van *Char* begint over tien minuten,' laten we achter met de buurman en zijn aanhoudende gerochel .

In de recreatieruimte kunnen we ons losweken van ziekte en het medische jargon dat om ons heen zoemde zodra we het ziekenhuis in stapten. Het grootste deel van het weekend brengen we er vervolgens door. Hélène arriveert aan het eind van de middag. Ze vertelt dat ze Boudewijn, hun zoon van tien die enig kind is, eerst moest zien uit te besteden. 'Het is anders zo onrustig voor je moeder,' zegt ze terwijl ze een verwijtende blik werpt op Kobus, die op dat moment een handstand tegen de muur probeert te maken en vervolgens een prullenbak vol plastic koffiebekertjes omgooit. Mama lacht erom en geeft hem een suikerklontje voor de schrik.

Tegen de tijd dat we toe zijn aan de rijstevlaai met *kroen-selen* ben ik de opmerking van mijn schoonzus vergeten. Ik heb mama's lievelingsvlaai vanochtend in alle vroegte bij Kaersemakers gehaald. Een feestelijk gevoel bekruipt me. Gezellig, zo met z'n allen. Voor je het weet zit mama weer clowntjes te kleien met de kinderen of kijkt ze, onze was wegstrijkend, naar *As the World Turns*, haar favoriete soap.

Mama biedt ons koffie en thee aan. Een goede gastvrouw blijft ze ook in het ziekenhuis. 'Als jullie het in mijn naam halen is het gratis,' fluistert ze ons toe.

In de weken erna durf ik steeds alleen maar vijftig cent neer te leggen als ze niet kijkt.

V

Highlights in het haar, in de zonnebankbruine huid liggen ogen, blauw als het zwembadwater in een reisgids. Hij heeft de torso van Schwarzenegger en is gehuld in een lichtgrijs maatpak. Onze eerste hypotheekadviseur – hij komt van onze bank – spettert stipt op tijd onze woonkamer in.

Op tafel staan de pannen nog, maar het is ons wel gelukt de kinderen naar bed te brengen. De afspraak moest vanwege mama verzet worden, maar dat vond de meneer geen enkel probleem. Vorige week hebben we haar verjaardag in het ziekenhuis gevierd.

Carnaval had heel Limburg, dus ook het ziekenhuis, in zijn ban. Honderden gekleurde ballonnen hingen aan de plafonds. In de hal beneden was al om tien uur 's ochtends een optreden van niemand minder dan Beppie Kraft. De tekst *Veer weure hoonderd alles jaor, veer allemool. Es veer zoe doorgoon wie v'r bezig zien, zien veer met hoonderd nog wie negentien* schalde door de ruimte terwijl mensen in badjassen en pyjama's, met katheter en een stok, rollator of rolstoel, uit alle gaten en kieren van het ziekenhuis toestroomden.

Mama had zich voor de gelegenheid gekleed in haar lievelingsblouse. Het wit met groenblauwe streepjes stond flets bij haar lichte huid maar ik waardeerde haar inzet om mooi te zijn en de wilskracht uit te stralen om het volgende decennium te halen. Terwijl ze de tekeningen van de kinderen bewonderde, verscheen er een glimlach om haar mond. Haar wangen bolden zich. Haar glinsterende ogen trokken de spanning uit onze lijven. Kobus klom op het bed en klemde zich als een aapje aan oma vast, zoals hij dat gewend was te doen. Ze zong het liedje van 'olifantje in het bos, laat je oma toch niet los', terwijl ze geruststellende klopjes op Kobus' rug gaf.

De laptop die Thomas voor haar had uitgezocht, vond ze spannend. Het was niet eens een cadeau; ze had hem zelf betaald, daar stond ze op. 'Eerst zo'n seniorencursus internet doen in een buurthuis,' nam ze zich voor. De tekeningen en gedichtjes van de kinderen hing ik over de oude op het prikbordje boven het bed.

Een bont gezelschap slingerde zich ondertussen door de gangen vanaf de eerste verdieping in de westvleugel omhoog. Wij keken er door het glas via het binnenplein op uit. Prins Carnaval en consorten bestegen trap na trap, met bossen bloemen en fruitmanden in hun armen. 'Godzijdank hoef ik daar niet aan mee te doen.' Haar stem klonk extra bedrukt door het nieuws dat ze enkele dagen ervoor had gekregen. Voorlopig zou ze in het ziekenhuis blijven.

Mama had nog maar net haar ongenoegen over de prins en zijn hulpjes geuit of er verschenen wat hoofden om de deur van kamer 518. Prins Carnaval keek rond en vroeg: 'Wie van u is mevrouw Steen?'

'Weten jullie zeker dat jullie deze Hollander moeten hebben?' De rondborstige, blozende mannen, van wie de buiken verraadden dat het blonde vocht niet alleen met carnaval vloeide, verzamelden zich rond haar bed.

Mevrouw Odje had zich al verwachtingsvol aan de haak bij haar bed omhooggetrokken, maar liet zich nu als een zoutzak vallen.

'Wij, de carnavalsvereniging van het mooiste dorp ter wereld, zetten onze jarigen graag in de bloemetjes. Mogen we u daarnaast deze fruitmand aanbieden en de hoop uitspreken op een spoedig herstel?'

Een glimlach; mama schonk de Limburgse prins haar allerliefste glimlach. Ze werd daar, voor het eerst sinds wij eind jaren tachtig vanuit Holland neerstreken met het gezin, één met de Limburgers. Ze deelde de rijste-*kroenselen*-vlaai met haar prins, die er zo van smulde dat hij zelfs aan de kaars met het cijfer zevenenzestig begon, in de veronderstelling dat het witte chocolade was.

Met zijn aanwezigheid minimaliseert de hypotheekadviseur onze woonkamer tot poppenhuisformaat. Thomas en ik krimpen tot poppetjes aan het touw dat hij bedient. Als hij zijn vingers met de gemanicuurde nagels op de aangeklonterde pap van Kobus op tafel legt, schaam ik me dood. De man vult de kamer met beloftes en mogelijkheden. Weg met ons huurhuis, waar we geen muren mogen breken en geen bad mogen plaatsen, weg met deze saaie buurt, waar mensen belang hechten aan een recht geparkeerde auto in een vak, de keurig geharkte tuintjes met viooltjes en begonia's, Frederikke en Lotta op één kamer wegens ruimtegebrek; voorbij.

'Gefeliciteerd met jullie beslissing. Als iets een goede investering is in de toekomst van jullie kinderen, dan is het wel het kopen van een huis,' zegt Schwarzenegger terwijl hij met zijn wijsvinger een autootje van Kobus over de tafel laat rijden en vervolgens een denkbeeldige haarlok achter de zonnebril op zijn voorhoofd duwt. Het lijkt me niet dat deze man een specialist is op het gebied van wat kinderen nodig hebben, maar dit is wel wat ik wil horen. Gelijktijdig met die gedachte komt er een herinnering aan vroeger bovendrijven: Ronald en ik vlak na onze verhuizing naar Limburg. Mama had ons op pad gestuurd met brieven, zodat zij even haar handen vrij had om wat van de torenhoge stapels verhuisdozen weg te werken.

'Hollengers, hollengers sjeet ze mè kepoat,' klinkt het van de andere kant van de straat, waar een groepje kinderen joelend en schreeuwend met ons meeloopt. Ik vraag of zij misschien een brievenbus weten. Het antwoord komt in de vorm van fluorescerende buizen waarmee ze naalden verpakt in tijdschriftpapier wegschieten. Een van hen raakt mijn broer in zijn bil, waarna hij het op een lopen zet. Hij gunt ze zijn tranen niet.

Even later vlijen we ons in het gras naast het kanaal en kauwend op een grasspriet vraagt Ronald of ik heb verstaan wat ze nou eigenlijk zongen. Ja dat heb ik en dat ze ons kapot willen schieten, komt niet overeen met de tekst uit de welkomstgids van de gemeente: *Limburgers zijn bijzonder warme en gastvrije mensen (die houden van het bourgondische leven).*

Daarna tref ik Ronald regelmatig in gevecht verwikkeld met een van de buurtkinderen. Bloedneuzen, gescheurde broeken, een blauw oog, dat soort werk. Pas maanden later neemt hij iemand mee naar huis, die mama vanaf dat moment Ronalds 'beste vriend' noemt. Ik heb hem noch enig andere klasgenoot ooit nog bij ons thuis gezien.

'Ach mevrouw, kinderen wennen snel. Bovendien verhuist u niet naar de andere kant van de wereld. Ze kunnen op woensdagmiddag nog altijd hier met hun vriendjes afspreken.' Dat is natuurlijk waar. Daar heeft Schwarzenegger gelijk in; wij blijven in de Randstad. Niks andere taal, andere gewoontes en andere waarden en normen.

Thomas schenkt de hypotheekadviseur een tweede kop koffie in als dank voor zijn geruststellende woorden. Ik veeg *Het Wijzertje* van de school van mijn dochters en wat aardappelresten met ketchup van tafel, leg de krantenfoto onder een stapel boeken. Mama lacht op de foto in het plaatselijke weekblaadje vriendelijk naar prins Jean de tweede, die haar een fruitmand aanreikt. Alsof ze me bemoedigend toeknikt; toe maar, meisje, even geduld, maar op den duur went alles, de Limburgers en ik hebben elkaar tenslotte ook geaccepteerd.

De adviseur haalt een donkerrode map tevoorschijn en legt die naast het bundeltje papieren dat ons hele financiële leven beschrijft. Hij voert wat berekeningen uit en kijkt er heel vrolijk bij. 'Een half miljoen kunnen we u lenen. Ja, echt, mevrouw: geen enkel probleem. Meer behoort tot de mogelijkheden, maar dat is afhankelijk van de lening die u wilt afsluiten.' Hij bijt in een derde stroopwafel en begint ons wegwijs te maken in het web van aflosbare spaar- en annuïteitenhypotheken. Schwarzenegger veegt onze twijfels weg zoals hij zojuist deed met wat achtergebleven broodkruimels. Het goede leven lonkt, wordt gereflecteerd in zijn gebruinde huid. In zijn Swiss-horloge en zelfs zijn zwarte, glimmende Clarks weerspiegelen ons toekomstige huis, daar in die stad vlak bij de duinen en de zee.

Een beetje vreemd vind ik het wel. Sparen doen we niet. We leven er lekker op los, gaan regelmatig uit eten. De kinderen krijgen als verjaardagscadeau een fiets of een Nintendo DS, dat lukt altijd; mama springt wel bij. Maar toen een stel vrienden laatst vier dagen naar New York gingen, konden wij het vliegticket niet betalen. Met onze gemiddelde inkomens – Thomas die zijn geld verdient als teammanager in de ICT en ik als docent inburgering – eindigt elke maand in de rode cijfers, terwijl die man ons zonder aarzelen een half miljoen toevertrouwt.

Ik duw mijn twijfels weg, want ik heb zo'n zin in het leven dat gaat komen. Ik snak naar die tijd. We zijn eindelijk uit de luiers. Nooit meer hoef ik met die pakken te zeulen terwijl ik een bungelend pakketje baby op de rug draag en mijn handen gevuld zijn met een zware boodschappentas aan de ene kant en een lolly en een klef handje van mijn oudste aan de andere. Meer dan eens stond ik voor in de rij bij de drogist om de luiers af te rekenen terwijl mijn sinds kort zindelijke andere kind dan ineens sprak: 'Mama, ik moet plassen,' waarop de caissière zei: 'Het spijt me, mevrouw, het toilet is alleen voor personeel.'

De hypotheekadviseur is de eerste stap naar een nog beter leven, een formidabel leven zullen we krijgen. Met kinderen die snappen dat ze geen spullen uit de door jou net heringerichte en opgeruimde kast moeten pakken, die zelf een (redelijke) combinatie kleren uitkiezen en ze vervolgens ook kunnen aantrekken, die weten hoe ze een tandenborstel moeten vasthouden en snappen dat je hem, zeker met tandpasta erop, niet als kam moet gebruiken.

Samen met mijn broer en zijn gezin op zondag wandelingen maken in de duinen. Nu moeten we daar nog drie kwartier voor in de auto zitten, straks gaan we lekker op de fiets. En in onze straat wonen natuurlijk alleen maar slimme, leuke mensen met wie wij theatervoorstellingen bezoeken. Mijn moeder past wel op en dan ga ik de volgende dag met haar winkelen, en we nemen een uitgebreide high tea bij Hannes op de Grote Markt.

Schwarzenegger praat nog even door over de overlijdens-risicoverzekering die we volgens hem voor de volledige dekking moeten afsluiten. 'We gaan er natuurlijk niet van uit, maar stel dat uw man komt te overlijden, mevrouw, dan wilt u uiteraard niet ook nog eens in de financiële misère terechtkomen.' Terwijl ik ernstig zit te knikken, strijkt Thomas onder de tafel met zijn voet over de mijne. Hij blijft mijn berenslof aaien als Schwarzenegger overgaat op de voordelen van een arbeidsongeschiktheidsverzekering en het uitstekende aanbod dat hij ons kan doen voor een opstalverzekering. Ik ben er ook nog, zeggen Thomas' ogen. Wees maar niet bang, we nemen dit soort beslissingen samen, in alle rust. Mijn kanjer, denk ik en ik leg liefkozend mijn hand op zijn lies.

VI

'Marieke, het is foute boel,' roept mama me toe zodra ik door de klapdeuren van de afdeling Neurologie loop en haar blik vang. Kobus hangt om mijn nek, Lotta veegt haar snot af aan mijn mouw, de bos bloemen valt uit Frederikkes handen. Een gezellige middag heb ik ze in het vooruitzicht gesteld. Het is de dag dat ze eigenlijk naar de overdekte speeltuin zouden gaan met oma. Zij zit op een grijze plastic stoel die is vastgekit aan de muur op mij te wachten. Haar gele ochtendjas maakt haar nog bleker dan ze al is. Terneergeslagen, zielig zit ze erbij. Haar ogen zijn roodomrand en met haar vingers frummelt ze aan een nat zakdoekje. Kobus plant ik in een van de plastic stoelen. Frederikke en Lotta zijn aan weerskanten van hun oma gaan zitten en aaien haar hand. Onwennig over mijn rol als steunpilaar strijk ik door haar grijze, ongekamde haar.

Goedhard zit op een stoel met verhoogde rugleuning, een kantelsysteem en zachte stof op de armleggers. Hij ontvangt ons vriendelijk, welwillend om het verhaal dat hij zojuist aan mijn moeder heeft verteld nogmaals af te draaien. Hij verwijst ons naar de andere kant van het bureau, twee stoeltjes met een versleten blauw kussentje erop. Onze armen haken we bij gebrek aan een leuning maar in elkaar.

'Op de longfoto is een wit vlekje te zien, bij het borstbeen achter op de linkerlong. Een vrij grote plek. Het kan ook een infectie zijn, maar gezien de leeftijd denken we aan een tumor.'

Longkanker.

Mijn moeder die nooit een sigaret heeft aangeraakt, met longkanker. Mijn moeder met haar yogaklasjes, zij die door weer en wind naar de stad fietst en met gemak een wandeltocht van vijfentwintig kilometer aflegt, die van biologische voeding houdt, van zilvervliesrijst en zij die mij nog altijd waarschuwt voor aangebrand eten en voor de korstjes van de kaas omdat je daar kanker van kan krijgen.

Longkanker is iets wat rokers overkomt. Mensen die vet eten, mensen die niet bewegen en die hun dagen slijten in flatgebouwen van overbevolkte steden. Dit kan niet kloppen. Eerst zeiden ze dat het een TIA was. Nu zit het ineens in de longen. En hoe kan ze dan door haar been zijn gegaan?

'We zullen een bronchoscopisch onderzoek doen om eventuele uitzaaiingen in andere lichaamsdelen, zoals de hersenen, op te sporen. Dit zou de TIA kunnen verklaren.' De woorden knallen onbarmhartig uit de mond van deze veel te jonge, ongezond bleke student met vlassig haar die zich blijkbaar al dokter mag noemen. Hou je bek, denk ik. Ik wil het niet horen en ik wil al helemaal niet dat mijn moeder het hoort.

Mijn hoofd begint de kloppen. Dit is geen kleine hersenbloeding waarmee ze even uit de running is. Dit is iets veel omvangrijkers. Longkanker, uitzaaiing in de hersenen: hoe lang heeft ze dan eigenlijk nog?

Ze huilt als we de kamer uit lopen, en terwijl ik haar met

mijn ene hand ondersteun, aai ik met mijn andere hand de kinderen, die verbazingwekkend braaf op de plastic gangstoelen zijn blijven zitten. Ik probeer de verschrikking uit hun ogen weg te wrijven, maar hun blikken blijven gericht op hun huilende oma.

Mijn hoofd zet zich als een spin aan het werk. Ik probeer draden te weven die volgens de wetten van de logica om het web van gezin en werk heen geleid worden. Maar wat ik ook doe, de draden raken verstrikt. Een doodzieke moeder laat zich niet logisch inbedden in werk en gezinsleven. Alleen al de afstand tussen onze woonplaatsen is daarvoor te groot.

De gedachte die voortdurend de boventoon voert is schaamteloos egoïstisch: hoe blijf ik overeind als mama niet langer mijn engelbewaarder kan spelen en als ik bovendien die rol van haar moet overnemen?

Ik, het moederskindje.

Mevrouw Odje kijkt nieuwsgierig op van haar *Story* als we de ziekenzaal binnenkomen. Er valt inderdaad heel wat te zien. Mama loopt voorop, ze wil niet dat mevrouw Odje merkt dat ze huilt. Met gebogen hoofd en gekromde rug schuifelt ze langs het voeteneinde van haar bed. Kobus is zojuist over een haspel gestruikeld en hij zet een keel op alsof zijn been geamputeerd wordt. Boven het gehuil uit hoor ik Frederikke eindeloos met een hoog schril stemmetje haar vraag herhalen: 'Oma ga je dóóód?' Ik sis haar toe: 'Nee, natuurlijk gaat oma niet dood.'

Uitgeput is mama, ze duikt ineen bij het gehuil van Kobus. In haar gebaar lees ik de boodschap. Haal hem hier weg, hij is me te veel. Geschrokken geef ik gevolg aan haar teken. Nog voor een aansnellende verpleegster me kan verzoeken de zaal te verlaten, pak ik de kinderen bij de hand en sleur ze mee, de zon in.

Op naar de tuin van haar huis. Waar het lente wordt, waar volgens de wetmatigheid der natuur de krokusjes op-komen. Waar alles pesterig groeit en bloeit alsof het deze ochtend nog is aangeraakt door mama's liefdevolle hand. De Theo d'Or-prijs verdien ik voor mijn vrolijke gehuppel en mijn aandeel in het spel Anna-Maria Koekoek. Ik verstop me achter de regenton met blikje trap en met watervoetbal krijg ik zowel Frederikke als Kobus aan het huilen, omdat ik erin slaag met één schot al het water uit hun flessen te schoppen.

's Avonds breng ik de kinderen naar bed. Als ik Lotta in-stop, kijkt ze me ineens recht in de ogen. 'Wordt oma wel weer helemaal beter, mama?' Terwijl ik naar de gordijnen loop en ze dichttrek, zeg ik tegen het raam: 'Dat denk ik wel, lieverd, de dokters doen hun best.' Net als mijn moeder toen sta ik bij het raam de waarheid te verzwijgen voor mijn kind. Niet alleen omdat het een leugentje om bestwil is, maar ook omdat ik zelf niet tegen de waarheid opgewassen ben.

Mijn moeder trok de gordijnen dicht en zei dat papa zo wel zou komen. Van ons afgewend stond ze uit het raam te sta-ren, met haar hoofd tussen de gordijnen. Ik zag hoe haar vingers zich klauwden om de verwarming onder de ven-sterbank.

Laat was mijn vader wel vaker. Repetities voor schoolop-tredens en vergaderingen van docenten of van de leerlin-genraad waarvan hij als enige leraar erelid was, liepen al-tijd uit. Daarnaast waren er nog zijn voorzitterschap van de Vereniging van Classici en zijn vertaalactiviteiten voor een onderzoeksschool.

De man die bij ons thuis op zondag het vlees sneed, was mijn moeder. Net zoals zij de olie in de auto ververste en onze fietsbanden plakte. Thuis was zij de generator. Op school vervulde mijn vader die rol.

Deze avond was anders, want mama zette niet zoals gewoonlijk de pannen op tafel. Ze wachtte en wachtte tot onze magen begonnen te knorren. Toen we eindelijk dan toch achter een verpieterd bord boerenkool met worst zaten, stond ze op van tafel. Ze liep weer naar het raam en schoof de gordijnen opzij om te kijken of papa in de schemer nu toevallig aan kwam lopen. We hoorden haar mompelen: 'Ik begrijp het niet, hij zou nou toch wel thuis moeten zijn.' Op het moment dat ze zag dat wij haar ongerustheid overnamen, verdween de frons van haar voorhoofd. 'Er zal wel iets tussen gekomen zijn.' Na het eten ging ze met ons sjoelen terwijl ze daar normaal gesproken een bloedhekel aan had. Toen we naar bed gingen, was papa nog niet thuis.

De volgende ochtend hoorde ik ze praten in de slaapkamer. '... leerling... meisje... wandeling...' Geen pasklare antwoorden, maar voor mij genoeg garen om een verhaal mee te spinnen.

Papa verdween niet lang daarna. Hij ging in een wit huis aan de rand van de grote stad wonen. Maandenlang werkte hij daar aan het ontwerp van een koffiefilterhouder die hij eerst geel, toen rood en ten slotte zwart schilderde.

Bezoekdag voor gezinnen, stond er op het bord bij de ingang van het grote witte huis. Terwijl papa en mama op een bankje niet ver bij ons vandaan zaten te zwijgen, gingen wij skateboarden. Papa speelde dat hij ons niet herkende. Als we dicht bij het bankje kwamen, joeg hij ons de stuipen op het lijf door plotseling op te staan en ons met bulderende stem een Duitse dichtregel toe te werpen: *Warte nur, balde ruhest du auch* of *Dort wo du nicht bist, dort ist das Glück.*

De paden rond het huis waren zeer geschikt als skateterrein. Ronald was er veel beter in dan ik. Hij kon het board helemaal rond laten gaan en er toch weer netjes op terechtkomen. Bij mij lukte het soms half. Meestal bleef een voet steken onder het board en dan struikelde ik met mijn andere voet en viel op mijn knieën.

Op een avond – papa zat toen al enige tijd in het witte huis – kreeg mijn moeder bezoek. De rector van papa's school belde aan. Hij was samen met een vrouw. Ze zag er nogal excentriek uit. Ze droeg een beige rok van fluweel tot op haar enkels. De rok zat in haar middel vastgesnoerd met een rode ceintuur van leer. Haar buik stak naar voren, net als haar boezem, die in een veel te kleine, gebloemde blouse gepropt zat. Mijn moeder stuurde ons, zenuwachtig plukkend aan haar trui, naar boven.

'Wil je dan niet weten wat ze nu aan het bespreken zijn?' probeerde ik mijn broer nog over te halen.

'Nee,' mompelde hij, zijn hoofd gebogen over een elektrische trein. Ik sloop de trap af en ging geruisloos op een van de onderste treden zitten, de oren gespitst. Slechts flarden van het gesprek ving ik op. Mijn moeder sprak altijd al zacht en doordat ze huilde was ze grotendeels onverstaanbaar. De rector was met zijn bromstem ook moeilijk te volgen. Ik moest me concentreren om enkele woorden op te vangen. 'Het meisje... ernstig... brief... geen contact meer... moet weg.'

Toen de deur van de woonkamer openging, vluchtte ik snel de trap op. Boven was Ronald bezig zijn trein tegen een berglandschap van witte was op te laten rijden. 'En, wat zeiden ze?' vroeg hij terwijl hij me heel even met een afwezige blik aankeek. 'O niks, ze zeiden niks, hélemaal niks.' Ronald boog zich weer over zijn trein, haalde zijn schouders op en mompelde: 'Zie je wel.' Een jaar later verhuisden we naar Zuid-Limburg.

Als ik me omdraai van het raam, zijn de kinderen in diepe slaap. Ik trek de dekbedden recht en raap Frederikkes knuffel op die op de grond is gevallen.

Beneden in de woonkamer bel ik Thomas. De band tussen mijn moeder en hem is vanaf het begin hecht geweest. Hij loopt rustig in zijn onderbroek door het huis als zij er is. Toen ik laatst na een avondje sauna met een vriendin thuiskwam, trof ik Thomas en mama nog altijd over hun partijtje scrabble gebogen.

Aan het eind van mijn monoloog vraagt hij of ik toch nog even op Funda wil kijken, sinds kort is dat ons gezamenlijk datingplein. Als klanten op de Wallen lopen we urenlang virtueel langs de ramen, onze ogen scannen op een zo oud, verweerd en robuust mogelijke buitenkant en een hartverwarmende binnenkant. Thomas heeft zijn oog laten vallen op een huis in de Brouwersstraat. Hij adviseert me om halverwege de trap te gaan zitten om een providersignaal van de buren op te vangen: mijn moeder heeft immers geen internet. 'Die Brouwersstraat is niet goedkoop, maar als we de hypotheekrenteaftrek maandelijks laten bijschrijven en niet meer op wintersport gaan, kunnen we de maandlasten best dragen.'

'Met Ronald Steen.'

In de luttele seconden voor ik reageer, speelt de optie om te liegen door mijn hoofd. Een zeurende pijn in mijn onderbuik.

'Eh, ehm, met Marieke. Ronald, we hebben vandaag Goedhard gesproken en die zegt dat mama een longtumor heeft.'

Het is stil aan de andere kant van de lijn. Voor mijn gevoel te lang en ik wil de stilte doorbreken met een of andere lullige opmerking, maar dan zegt Ronald: 'Weten ze het zeker? Dat kan toch helemaal niet, mama rookt niet eens.' Ronalds stem trilt, zijn zelfbeheersing wankelt. Hij stelt vragen over percentages om houvast te krijgen over iets onbestuurbaars, waarover geen controle kan worden afgedwongen.

De slaap wil niet komen. Ik ga weer naar beneden en zap doelloos langs de kanalen, hangend in de vaaloranje bank die sinds mijn geboorte de woonkamer siert, die meeverhuisd is naar Limburg. De bank waarop mama mij in shock vertelde dat het echt zo was. Dat papa dood was. Zijn hart was zomaar ineens opgehouden met kloppen.

Ik herinner me de stank die me tegemoetkwam toen Ronald die avond de deur opende. Overdag had mama tevergeefs geprobeerd me te bellen. Pas toen ik rond etenstijd mijn antwoordapparaat afluisterde, belde ik terug.

Van de geur van hondenpoep in het huis moest ik kokhalzen. Ik was vooral toen extreem gevoelig voor geuren. Na drie dagen deed ik een zwangerschapstest. Terwijl papa in zijn studeerkamer opgebaard lag, vertelden Thomas en ik aan mama en Ronald dat wij ouders werden en dat Boudewijn een neefje of nichtje kreeg.

Iemand moest met hondenpoep onder zijn schoenen de trap zijn opgelopen. De schoenen van mama en Ronald waren schoon. De doordringende geur bleef hangen, hoe we ook boenden en schrobden. Thomas vond het een goed idee dat ik die nacht naast mama zou slapen. Midden in de nacht lukte het me uiteindelijk de stank te verdrijven door met een sterk geconcentreerd sopje het spoor na te lopen dat ging vanaf de trap via de overloop door naar mama's slaapkamer om te eindigen bij het raam. Ik boende net zo lang tot het eucalyptusextract de oude lucht verving en het was alsof ik mijn eigen pijn om papa's dood ermee wegboende.

VII

Puella, puella puellala, zong papa mij zijn geliefde mantra toe: *meisje, meisje, meisje.* Verankerd lag ik in zijn armen. Ik zal een jaar of elf zijn geweest. Eigenlijk was ik al te groot voor zijn schoot. Met tegenzin ging ik staan, maakte plaats voor Ronald die ook nog gedag moest zeggen.

Papa vertrok zo weer voor een week naar zijn hospita, madame de la Rosette, bij wie hij op kamers woonde. Hij had een nieuwe baan op een gymnasium vlak bij het drielandenpunt. Dat vonden Ronald en ik wel stoer. We vertelden in de klas dat onze vader elke dag door Duitsland en België naar zijn werk ging.

Het bord *Te koop* in onze tuin raakte overwoekerd door klimop. In het begin waren er nog bezichtigers geweest. De avond ervoor was mama chagrijnig. Ik moest alles opruimen; alle barbies en ook het huis dat ik net helemaal voor ze had gemaakt, moesten terug de speelgoedkisten in. Stom vond ik dat, want de mensen bezochten mijn kamer maar heel even en soms kwamen ze niet verder met de bezichtiging dan de kelder, waar het lekte.

Toen Ronald en ik op een dag uit school kwamen, zat tante Margreet aan de keukentafel op ons te wachten. Alle vrienden van mijn ouders spraken we in die tijd aan met oom of tante. Eén grote familie waren we. Tante Margreet zei: 'Mama ligt in het ziekenhuis, oom Bob en ik passen deze week op jullie.'

Die avond aten we patat, die ik niet lekker vond smaken. Misschien omdat we een vork moesten gebruiken en voor het eten moesten bidden.

Uren lag ik nog te woelen in mijn bed, mezelf de wezenstatus toekennend. Want papa en mama kwamen vast nooit meer thuis. Ik viel pas in slaap nadat ik bij Ronald in bed was gekropen. Een paar knetterende scheten liet hij in zijn slaap en mijn huilen ging geluidloos over in lachen. Mijn broer troostte me met zijn scheten en met de geur die ik opsnoof met mijn hoofd onder het dekbed, wat ik normaal altijd alleen deed bij mijn eigen scheten.

Nog een laatste kus op mijn wang, een aai door mijn haar. Op mijn aandringen vertelde papa voor de zoveelste keer het verhaal van zijn hospita, die zo dik was dat ze in een tweepersoonsbed moest slapen en als ze at, lagen haar borsten als twee waterballonnen over de tafel.

Tante Thérèse nam het die week over van tante Margreet. Terwijl ze linzen met koolraap en venkel voor Ronald en mij neerzette, hield ze een monoloog over haar aversie tegen kinderen. Vooral kinderen zoals ik die veel vragen stelden, kon ze wel schieten. Ze moest heel hard lachen toen ze het zei.

Als toetje kregen we rabarber, ze had een voorraad voor de hele week gemaakt. Elke avond braakte ik stiekem alles uit boven de toiletpot. Als ik niet mijn hele schaaltje opat, mocht ik zeker niet mee naar mama in het ziekenhuis. Op tante Thérèses laatste avond – ze was weer alleen in haar rode Mini Cooper naar het ziekenhuis vertrokken – pikten Ronald en ik het niet langer.

We haalden onze fietsen uit de schuur. Van de mijne deed alleen de koplamp het en daarom moest ik van mijn broer aan de binnenkant rijden. Het was ijzig koud en toen we een paar honderd meter op weg waren, kreeg ik de rechterwant van Ronald te leen. We ruilden om de zoveel tijd van want, zodat onze vingers net niet bevroren. We reden over het kilometerslange fietspad van de Rijksstraatweg. Rechts van ons lag het bos en links van ons zoefde het autoverkeer voorbij. Onderweg plukten we wat mos, takjes en dennenappels om mama het bos te laten ruiken.

Bij aankomst op de ziekenzaal konden we nog net de verzamelde stukken bos op het tafeltje naast het bed leggen en onze moeder een kus op haar wang drukken, daarna werden we door een verpleegster en tante Thérèse de kamer uit geduwd en voor de tv in de bezoekersruimte gezet. 'Dit is veel te druk voor jullie moeder, er mogen maximaal drie mensen op bezoek.' Tante Thérèse bestelde even later een taxi voor ons, die we voor straf van ons zakgeld moesten betalen. Ook de fles cognac voor de vriend die de volgende dag met zijn busje onze fietsen ophaalde, werd betaald uit onze spaarpot. Een straf die volgens haar eigenlijk nog te licht was. We hadden haar immers zo aan het schrikken gemaakt.

Na een maand kwam mijn moeder thuis. Nog altijd durfde ik haar niet te vragen waarom ze naar het ziekenhuis had gemoeten. Later vond ik onder haar bed een doos met een afbeelding van een hele mooie vrouw in bloemetjesjurk op de deksel. In de doos zat iets van plastic in de vorm van een borst. Ik herinnerde me de woorden van de vader van het vriendinnetje bij wie ik bleef eten. De vader had vooraf gebeden: 'Heer, zegen deze spijzen en bescherm Marieke die hier bij ons aan tafel zit. Laat haar moeder genezen van kanker en geef Marieke de kracht haar vader en moeder te steunen in hun zware levenslot, amen.'

VIII

Op het moment dat mijn mobiel gaat, bevind ik me midden in de kolossale woonkamer van een te koop staande villa. Wat betreft de hypotheek zullen we waarschijnlijk toch niet voor Schwarzenegger – de eerste hypotheekadviseur – kiezen maar voor een doodgewone jongen die ons vertrouwen won door bij ons op de stoep te staan met een rode Dunlop-tennistas. Iemand die na het gesprek met ons nog energie had om een balletje te slaan (op niveau vier, vertelde hij vol trots), was vast goed in zijn werk en bovendien te vertrouwen. En niet onbelangrijk: ik tennis ook. Die volledig aflossingsvrije beleggingshypotheek die hij voorstelde, wil ik nog wel verifiëren bij onze goede vriend Dimitri, die verstand van zaken heeft. We gaan binnenkort bij hem eten, zodat hij meteen zijn nieuwe vriendin kan voorstellen.

Het geluid van mijn mobiel galmt door de kamer, slaat neer op het visgraatparket, vult de hoeken tot de hoge plafonds. Ik kan er niet omheen, de makelaar kijkt nu toch al boos. Midden in een monoloog over waarom een dichte keuken uiteindelijk toch meer voordelen heeft dan een open, blijft hij steken. Als ik opneem, draai ik mijn rug naar hem toe.

Dokter Goedhard aan de lijn. Hij heeft wat uitslagen binnen van mama's onderzoeken die hij met ons wil bespreken, ergens op maandag, dinsdag of woensdag. Preciezer kan hij helaas niet zijn. Ik excuseer me bij de makelaar dat ik de bezichtiging nu niet af kan maken en als hij met zijn agenda in de aanslag meteen weer een nieuwe datum wil afspreken, mompel ik: 'Nee, dank u, mijn man en ik houden niet van dichte keukens.'

Thuis pluis ik het boekje uit van personeelszaken, dat ik na mijn ouderschapsverlof onder in de kast had gegooid. Ik heb in deze situatie recht op twee weken zorgverlof. Van dit recht in ik per direct de helft. 'Tuurlijk, meid, moet je doen, geen probleem,' zegt mijn baas begripvol als ik hem bel. En hij voegt daar monter aan toe: 'Ik zal Yvonne vragen het even van je over te nemen.'

Toen de artsen en verpleegsters zich enkele weken geleden in berenvellen en pinguïn- en andere dierenpakken hesen om zich met een slok op onder het mom van de wetten van het carnaval te verlustigen aan de partners van hun beste vrienden, lag mama in haar ziekenhuisbed in het luchtledige te staren. De bronchoscopie was mislukt. Mama liet niet toe dat de buisjes haar luchtpijp in werden geduwd. Ze had ergens gelezen dat het normalerwijs met een roesje gebeurde en ze wilde alleen verder met het onderzoek als ze een roesje kreeg. Verdere onderzoeken werden wegens gebrek aan personeel uitgesteld.

Goedhard wilde haar aanvankelijk naar huis sturen, maar mama had zich met hand en tand tegen het ontslag verweerd. Het was pijnlijk om haar argumenten te horen. Een dode man en kinderen die allemaal elders woonden en die echt niet voor haar konden zorgen, bang om alleen te

zijn, om van de trap te donderen of midden in de nacht ver-
lamd wakker te worden.

Thuiszorg moest uitkomst bieden. Maar nadat mama en
mevrouw Van Putte, de casemanager, hun handtekeningen
hadden gezet onder de zorgovereenkomst en mama het
vuistdikke dossier in haar handen kreeg gedrukt, kwam
Van Putte met de mededeling dat alle medewerkers die
dienst hadden tijdens carnaval helaas al waren ingedeeld.
Goedhard kon niets anders doen dan toegeven.

'Oké, tot na carnaval, mevrouw Steen en dan mag u nog
blijven tot de definitieve uitslagen van de punctie binnen
zijn, maar dan moet u toch echt naar huis.' Minzaam streek
hij een hand over zijn hart.

'Maximaal twee keer pizza,' belooft Thomas vrolijk. Verbaasd constateer ik dat hij in het geheel niet opziet tegen
mijn vertrek. Dat ik helemaal niet zo onmisbaar ben als ik
altijd heb gedacht. Mijn grote droom was lange tijd dezelfde. Er een keer tussenuit knijpen; een week lang met geld
smijten alsof ik Paris Hilton was, onverantwoord dronken
worden, neuken met een neger en daarna naakt op het
strand dansen met een roos in mijn haar.

Een week in het huis van mijn moeder, met een dagelijkse gang naar het ziekenhuis, is daarmee niet te vergelijken en toch, die vrijheid... Met een bord op mijn schoot
voor de televisie eten en eindelijk eens een keer ongestoord
een paar uur achter elkaar lezen, komt toch al in de richting van mijn droom.

Met Ronald en mama betreed ik dinsdag om twaalf uur het
kamertje van dokter Goedhard. Om tien over twaalf staan
we totaal overdonderd door het nieuws weer op de gang.

Ronald snuit eerst zijn neus, pakt dan zijn BlackBerry in één hand en werpt hem in de andere en terug terwijl hij mij aankijkt en vraagt: 'Wat zei Goedhard nou precies?' Ik twijfel ook of ik het wel goed gehoord heb. Dat ze sarcoïdose heeft. Een ziekte waarbij ontstekingen in weefsels en organen ontstaan. Een chronische, maar niet levensbedreigende ziekte. Een ziekte waar je oud mee kan worden.

'Mevrouw, u heeft sarcoïdose.' Goedhard had ons het woord in de schoot geworpen, nadat hij eerst minutenlang rondjes op een papier had getekend. Genadeloos had hij zo de spanning opgevoerd. De tekening werkte volgens hem verhelderend voor ons. Bij kanker klitten de cellen aan elkaar vast, lopen ze in elkaar over als rijpe trossen druiven. Bij sarcoïdose raken de cellen elkaar alleen aan de rand. 'Het verschil is moeilijk te zien,' verontschuldigde de arts zich.

Daarna had ik nauwelijks meer geluisterd. In stilte had ik het woord over mijn lippen laten rollen; ik oefende met de klanken en zo ontstond bij mij het beeld van een suikerspin. Ik kon met geen mogelijkheid meer loskomen van die suikerspin. Groot, zoet en roze, een verwennerij ter onderbreking van zwieren en zwaaien in een plaats vol vermaak. Een plaats waar mama over een tijdje gewoon weer met ons naartoe kan gaan.

Later op de dag zouden we aan haar bed nog uitleg krijgen over het verloop en de behandeling van deze ziekte door dokter Drenth, de sarcoïdosespecialist.

Ronald is opgelucht maar ook boos. Hij wil een brief sturen naar de klachtenfunctionaris van het ziekenhuis en een schadevergoeding eisen. Bedonderd voelt hij zich: naar de targets op zijn werk kan hij voorlopig wel fluiten, voor een onschuldige kwaal van zijn moeder heeft hij al die weken half werk geleverd. Ondertussen vergeten we mama. Die is, terwijl wij al in de volgende gang zijn, op een van de stoelen in elkaar gezakt. Ze zegt niets. Terwijl we door de gang naar haar kamer lopen, pak ik haar beet en probeer haar blik te vangen. 'Mama, hoorde je wat de zaalarts zei? Je gaat niet dood, je hebt geen kanker.' Ze kijkt weg, haar ogen zijn troebel. Kortaf zegt ze dat ze moe is. Als ze haar ochtendjas uitdoet en in bed stapt, zie ik dat de door mij gewassen en gestreken pyjama zeker tien centimeter gekrompen is in de was. 'Het geeft niet, ik heb het hier toch altijd heet,' mompelt ze.

We wachten op de uitleg van de sarcoïdosespecialist, maar er komt niemand, nog geen verpleegster. Ook de zaalarts is in geen velden of wegen meer te bekennen. Tegen de tijd dat de rammelende karretjes met de avondmaaltijden in aantocht zijn, besluiten Ronald en ik maar naar huis te gaan.

De nacht heeft inmiddels plaatsgemaakt voor de dag. Ronald zit al lang en breed weer in zijn werkruimte van zestig vierkante meter in Saoedische jaaroverzichten te staren en ik arriveer met een weekendtas – met een extra dikke jas vanwege het weinige lichaamsvet dat mijn moeder nog heeft – op de ziekenzaal om haar mee te nemen naar huis, op weg naar een zorgeloze toekomst. Een beschroomd kijkende dokter Goedhard sommeert ons toch nog even mee te komen naar zijn kamertje.

IX

We zijn verhuisd, maar daar is dan ook alles mee gezegd. Het is bivakkeren op de eerste verdieping. Wat ons studeer-computerkamertje moet worden, is vooralsnog onze woon-keuken. De waterkoker, het koffiezetapparaat en de printer staan naast elkaar in de vensterbank. Eten doen we aan het knutseltafeltje van de kinderen. De eettafel staat, net als veel andere spullen, nog in ons oude huis.

We nuttigen magnetronmaaltijden van Albert Heijn. De boerenkool en de kip piri-piri zijn favoriet. We eten met een lepel, de vorken zijn vooralsnog onvindbaar. Ik heb er al twintig dozen voor opengemaakt, zonder resultaat. Op wit-te bankjes zonder leuning zitten we. Het past allemaal net. Ook tijdens het avondeten boren en timmeren de Polen er lustig op los. Het houdt niet op. Als je hen zo bezig ziet, be-grijp je niet dat het allemaal zo moet uitlopen. Beneden ligt de vloer er nog maar half in. De keuken staat bij vrien-den van ons in hun garage want de vloer in wat de keuken moet worden, is nog altijd opengebroken.

Ik ga koken. Daarvoor moet ik naar beneden. In een hoekje van de kamer, daar waar wel parket is gelegd, staan een kleine koelkast en een magnetron. We delen deze ap-paraten samen met de Polen. Soms vind ik balkenbrij met schimmel. Soms visgraat met tomatensaus. Nergens verbaas ik me meer over. Ik ben gestopt met vragen of ze alsjeblieft willen schoonmaken. Ze bleven me maar glazig aankijken en zeggen '*call Bartosz*'. Het irriteerde me mateloos.

Uit de koelkast haal ik twee bakken boerenkool. Hebben we gisteren ook gegeten. Ik loop met de twee bakken naar boven als de stroom uitvalt. Inwendig vloek ik: waarom beginnen ze altijd met de elektriciteit te klooien als het al donker is? Waarom kunnen ze dat niet gewoon 's ochtends doen, als wij weg zijn?

Ik hoor geschreeuw in het Pools. Boven me, ergens op zolder, hoor ik Kobus huilen. Het is pikkedonker. Bij de bovenste traptrede verlies ik mijn evenwicht. Ik laat de bakken boerenkool uit mijn handen vallen. Op de tast zoek ik houvast bij de muur en grijp daarbij in het kruis van een Pool, die zo te voelen een hele grote heeft. Ik hoor hem gromgeluiden maken en dan gaat het licht weer aan. Helaas, het is Kabouter, de alcoholist met de hansop en het haar dat stijf staat van de verf. Die lange met dat bruine haar had ik liever in zijn kruis gegrepen.

Voor me op de grond ligt de boerenkool. Er zit boerenkool op mijn berensloffen. Er zit boerenkool op de trap en op de vloer. Er zit ook groene drab op de zojuist gestuukte muur. Thomas komt thuis van zijn werk. 'Marieke, waar ben je, ik heb zo'n honger. Jezus, wat een puinhoop.'

We staan op het punt naar de pizzeria te vertrekken. De boerenkool is opgeruimd en we trekken onze jassen aan. De bel gaat. Een woedende buurman op de stoep.

'Hoe gaan jullie het oplossen? Hoe gaan jullie dit oplossen?' schreeuwt hij met een steeds roder wordend hoofd.

De Polen hebben het blauwe tentzeil boven ons balkon

laten rusten op het platte dak van de buurman. Daar kwam een enorme hoeveelheid water op te staan en zo is het in hun keuken gaan lekken. In hun peperdure SieMatic-keuken welteverstaan. We mogen even mee om de schade te inspecteren, maar bij de voordeur laat de buurvrouw alleen Thomas toe. 'Vandaag gedweild, snap je,' zegt ze op norse toon en ze gebaart naar de schoenen van de kinderen. Ik slik mijn teleurstelling weg. Kopjes thee drinken bij de buurvrouw kan ik voorlopig wel uit mijn hoofd zetten. Ik krijg een acuut Tokkie-gevoel. Wij, met onze schreeuwende, zuipende Polen, de troep in de voortuin, de containers voor het huis, wij zijn de Tokkies van de straat.

'Papa en mama, kunnen jullie alsjeblieft ophouden met ruziemaken?' vraagt Lotta ons in de pizzeria. We hebben het over geld. De rekening moet betaald worden en dat kan alleen contant. Omdat Thomas voorstelde om in de pizzeria te gaan eten, ging ik ervan uit dat hij geld op zak had. Dat is dus niet zo. Met een diepe zucht haal ik mijn portemonnee uit mijn tas, en dat zuchten kan hij niet hebben.

'Wat bedoel je met die zucht?' vraagt hij op luide toon.

'Ja, ga ook nog eens schreeuwen,' zeg ik. Onder luid geruzie lopen we de zaak uit.

Op weg naar huis moppert Thomas over de toon waarop ik de dingen zeg. Ik som ondertussen al die keren op dat hij mij ergens mee naartoe nam zonder geld.

De kinderen lopen lamgeslagen voor ons. Lotta draait zich om en zegt: 'Jezus, wat zijn jullie kinderachtig.'

'Je mag geen jezus zeggen.'

Als de kinderen in bed liggen en Thomas met een biertje voor de televisie ligt, pak ik de telefoon en toets koortsachtig de cijfers in. 'Met het door u gekozen nummer kan geen verbinding worden gemaakt.'

De volgende dag heb ik oorpijn. Ik schuifel door het huis op zoek naar een rustige plek. Op onze slaapkamer zijn ze bezig met het betegelen van het balkon. De deuren staan wagenwijd open en *I was made for loving you, baby* komt me tegemoet. In de kamer ernaast wordt heftig getimmerd aan een inbouwkast. Ik beklim de trap naar de tweede verdieping. De kust lijkt veilig. Ik laat me vallen op het bed van Frederikke. *And I can't get enough of you, baby, can you get enough of me*, boing, ngngng, kratsjkratsj, doen de hamers en de boren en de zagen.

Uiteindelijk val ik met mijn vingers in mijn oren en de pyjamabroek van Frederikke over mijn ogen in slaap.

'Sorry miss, sorry.'

Sliep ik een minuut, of toch langer? Met moeite open ik mijn ogen, nadat ik de pyjamabroek ervan af heb getrokken. Kabouter staat al half binnen. De ladder die hij bij zich heeft, houdt hij als een schild voor zich. Hij wijst naar de balkondeur en dan naar boven. Ja natuurlijk, hij moet naar het dak. Een andere Pool komt achter hem aan met stapels *shingles* in zijn armen.

Ik sleep mezelf het bed uit, naar de gang. Kabouter doet de balkondeur open en even sta ik klem tussen de ladder en de deur. Het tocht. Ik bescherm mijn oor tegen de windvlaag die voorbijtrekt. De tweede Pool, die de ladder aan het uiteinde vasthoudt, kijkt me lachend aan en zegt: '*You like zleeping ej?*'

Ik heb het gevoel dat ik hun verantwoording schuldig ben omdat zij aan het werk zijn terwijl mijn baas me een paar dagen geleden hoofdschuddend naar huis heeft gestuurd. 'Op het moment dat jij op één dag twee bekers koffie over je computer omstoot, is het wel duidelijk, meisje. Je hebt te veel aan je hoofd. Het gaat zo niet goed. Kom over een paar weken maar terug.'

Ik weet niet eens of ik blij moet zijn. Op mijn werk heb ik afleiding. Collega's praten over normale dingen. Ik neem rust van de situatie thuis met een kopje koffie, of door mijn armen op het bureaublad te leggen en mijn hoofd daarop te vlijen.

Thomas reageerde opgelucht toen ik hem vertelde dat ik even niet hoefde te werken. 'Dan kun jij de verbouwing in goede banen leiden en hoef ik in mijn middagpauze niet heen en weer te rijden.' We hebben bij de afspraken nagelaten een vaste prijs af te spreken voor het arbeidsloon en dat komt ons nu duur te staan. De verbouwing heeft inmiddels een uitloop van enkele maanden. De eerste weken al betrapten we de jongens. Voor een siësta hoef je geen zuiderling te zijn. Op welk tijdstip we in die eerste, onverwachts warme maand ook langskwamen, de Polen lagen te maffen in de tuin. Tienduizenden euro's zitten we boven ons budget.

Het enige wat ik nu wil, is met rust gelaten worden. Ik sluip overdag rond door mijn eigen huis, waar in elke kamer wel een Pool op de loer ligt, gewapend met boor of kwast.

Ook de kinderen waren blij met mijn plotselinge 'vakantie'. 'Dan hoeven wij niet meer naar de naschoolse opvang, hè mama?' zegt Frederikke. Ze hebben het moeilijk, die schatjes van me. Frederikke komt elke dag alleen naar buiten. En dat terwijl er in het oude dorp door klasgenootjes gevochten werd wie met haar mocht afspreken. Ook Lotta kijkt nooit blij.

Ik zie ertegen op bij het schoolplein te staan, tussen al die kletsende vrouwen die elkaar allemaal kennen. Niemand kent mij. Vorige week werd ik dan toch op mijn rug getikt. 'Ik dacht dat je iemand anders was,' zei de vrouw verontschuldigend toen ik me omdraaide.

Wat mijn baas wel gezien heeft, maar wat mijn eigen gezin, inclusief ikzelf, niet ziet of niet wil zien. Ik kán niet meer. Ik heb geen weerstand meer. Binnen in mij huist een tropisch regenwoud waar de teak moet sneuvelen voor wat inderhaast gesprokkeld brandhout.

De huisarts stuurt me met een antibioticakuur tegen oorontsteking naar huis. Water in mijn oren terwijl ik allang verzopen ben.

De Polen hebben hun eigen sores. We leven overdag samen, maar spreken elkaar niet. Als ze de deurklink links bevestigen terwijl de deur aan de rechterkant opengaat, dan bel ik Bartosz. En Bartosz belt hen. Er gaat rustig een dag voorbij voor de fout verholpen is. Haast hebben ze niet, voor fouten schamen ze zich niet, ze nemen geen enkele verantwoordelijkheid. Zij voeren opdrachten uit. Ze worden geleid door Bartosz en door de alcohol. Ik heb de flessen zien staan in de schuur. Aan het begin van de dag vol en aan het eind van de dag leeg.

X

In de stoel van dokter Goedhard zit een arts die ik nog niet eerder heb gezien. De witte jas hangt als een koningsmantel om zijn schouders. Het kan niet missen: dit is een man van formaat. Zijn dikke grijze haar combineert indrukwekkend met de borstelige wenkbrauwen en de batterij pennen in zijn borstzak oogt als de reeks medailles van een oorlogsheld. Naast hem staan twee mannen, eveneens in het wit. Uit een andere kamer haalt Goedhard twee stoelen voor ons en stelt zich vervolgens op in de hoek.

Overrompeld ben ik door de plotselinge overvloed aan aandacht. Mama heeft, vanaf het moment dat Goedhard ons met een ernstig gezicht tegemoet trad en ons vroeg nog even mee te komen naar het kamertje, alleen maar naar de grond gekeken. Als een veroordeelde in de rechtbank, bij voorbaat schuldig bevonden. De kamer heeft zo te zien en te ruiken een goede schoonmaakbeurt gehad.

Goedhard begint vanuit zijn hoek te praten, aarzelend, beschaamd. 'We hebben... We hebben gisteren nog wat proefjes gedaan met... de sarcoïdosespecialist... We hebben in het weefsel een vloeistof gespoten. En... tja, dat geeft toch een ander beeld. Het toont een soort klontering, wat juist weer...'

Op dat moment staat de arts op die zich nog altijd niet heeft voorgesteld. Met zijn vingers draait hij rondjes in zijn enorme snor en zegt: 'Klopt het dat uw man Latijn en Grieks gaf op het Hippolytos?' Iedereen behalve mama kijkt verbaasd op. Vanuit een automatisme antwoordt ze op de vraag die haar al ontelbare keren is gesteld: 'Ja, dat klopt, dat was mijn man.'

'Fantastische leraar,' gaat de arts verder. 'Mijn zoon Max heeft begin jaren negentig bij hem in de klas gezeten. Geweldige belezenheid. Max heeft genoten van zijn verhalen. Complete voorstellingen gaf uw man af en toe. Spijtig dat hij is overleden. Tijdens een wandeling langs het kanaal, toch? Maar excuseert u mij. We hadden het over uw longkanker, ja... we moeten het over chemotherapie hebben.'

Mijn moeder praat ineens hardop. Luid en duidelijk zegt ze iets en alle mensen in de kamer veren op. Ze zijn hierop voorbereid. Patiënten die gaan klagen, die een verkeerde diagnose niet pikken. Je kunt het hun niet kwalijk nemen, maar het is wel een gedoe. Klachtenbrieven, bezwaarschriften, tuchtcommissie; het leidt uiteindelijk alleen maar af van het genezen van mensen die nog een kans maken.

'Hij heeft me in de steek gelaten,' zegt ze voor de tweede maal, iets bozer en krachtiger dan zojuist. Dan nog een keer alsof haar boosheid ook haarzelf verrast.

De arts zonder naam fronst even en haalt zijn vingers nogmaals door zijn snor. Snel en vakkundig haakt hij aan bij dat wat hij zojuist uit mama's mond heeft gehoord. Met een vermanend vingertje naar Goedhard: 'Ja mevrouw, ja, u bent inderdaad in de steek gelaten. Het klopt, onder mijn leiding bent u in de steek gelaten, maar ik zal optreden, mevrouw. Ja, ja, ik zal zeker optreden.' Hij strekt zijn armen en toont ons de afmetingen van de tumor alsof hij zojuist een grote vis heeft gevangen. 'Ik zag het meteen,' zet hij zijn reprimande voort. Vol van zijn eigen vakkennis luistert hij niet meer naar mijn moeder. Hij kijkt haar niet aan. Hij hoort haar de naam niet uitspreken waarmee ze haar zin eindigt.

'Huib,' zegt ze. Huib heeft haar in de steek gelaten. Bevrijdend voelt het voor mij. Eindelijk, eindelijk bijt ze van zich af, zet ze het aureool af dat ze al die jaren denkbeeldig om mijn vaders hoofd zag. Ik streel haar hand. Ik begrijp het niet helemaal, of misschien zelfs helemaal niet. Nooit heb ik haar iets negatiefs over hem horen zeggen. En nu, hier, op dit moment, stelt ze hem eindelijk verantwoordelijk. Ja, hij heeft haar in de steek gelaten. En Ronald en mij ook, verdomme. Woedend ben ik erom geweest. Ik heb tegen de deuren geslagen, tegen kasten getrapt, toen hij net dood was heb ik met blote hand een vaas aan diggelen geslagen. Mama en Ronald keken alleen maar wat ongelovig naar die vaas. Alsof het daarom ging. Alsof ze zich eindelijk realiseerden dat ik van die jarenlange karatelessen toch echt wel wat geleerd had. Thomas heeft me toen enigszins gekalmeerd. Hij omhelsde me en ging kompressen halen voor mijn hand die blauw uitsloeg en bloedde.

De kamer wordt wazig. Schimmen in witte jassen transformeren tot spoken. Nog altijd houdt de arts zijn armen uitgestrekt, om het formaat van de tumor uit te drukken. Zijn woorden worden een langspeelplaat die blijft steken bij de overlevingskansen.

Daar, op die kamer, verschijnt mijn vader ineens weer. Tien jaar lang heb ik slechts vaag aan hem gedacht. Met een etterende wond valt heel goed te leven, als je hem maar bedekt. Het verdriet om mijn vader had plaatsgemaakt. Eerst voor Lotta, van wie ik zwanger bleek toen hij slechts drie dagen dood was. Daarna weekten Frederikke en Kobus mij verder los van hem. Zodra een gedachte enigszins onaangenaam werd, ontsnapte ik door een luier te verschonen of de topografie van Zeeland te overhoren, en ook met mijn moeder praatte ik over hem louter in termen van bewondering; als over een goede film die we samen in de bioscoop hadden gezien.

'Vivo equidem vitamque extrema per omnia duco.'

Hij staat op een tafel in ons oude huis met een groot wit laken om zijn blote schouders gedrapeerd. Zijn prachtige volle zwarte haar. De kamer is een rookhol en mijn vader lijkt door de rook als een feniks te herrijzen uit zijn as. Na het citaat van Vergilius: *Jazeker, ik leef nog, al is het langs de rand van de afgrond,* oreert hij verder, zoals alleen hij kan oreren. Over de keer dat hij een week op vakantie was op Sicilië en door twee jochies werd beroofd van zijn tas, waar ook zijn paspoort in zat. Een goed verhaal: de banken staakten die dag, zoals ze zo vaak staakten in die tijd. Papa knielt. Hij laat zien hoe hij in Palermo op zijn knieën voor zo'n bank heeft gelegen om maar geld te krijgen. Hij komt overeind en besluit zijn verhaal met zijn grap dat Reagan, die net die dag was gekozen tot president, het vrijemarktprincipe wel heel snel in de praktijk had weten te brengen.

Rondom hem staan leerlingen en collega's van school te joelen en te klappen alsof het Socrates is die een redevoering houdt. Ademloos luisteren ze naar hun meester die hoog boven hen uittorent. Verlegen blijf ik op de drempel staan. Ik kon niet slapen van het kabaal. Reuze spannend vind ik het allemaal. Ik heb papa al vaker zo gezien. Bij een culturele avond als presentator, bij cabaret en toneel als performer. Meestal schaam ik me dan wel een beetje omdat hij zo overdreven doet. Thuis is hij teruggetrokken en stil.

Dit is de allereerste keer dat ik hem thuis gek zie doen en het is alsof hij ons daarmee beduvelt. Of nee, niet over dat gek doen voel ik me beduveld, maar wel door die blik in zijn ogen. Die blik van een vrolijk, misschien zelfs een gelukkig mens.

Die gulle lach schenkt hij Ronald slechts bij een tien voor Latijn. Ik moet er nog harder voor werken, want zo slim ben ik niet. Soms schrijf ik in de bibliotheek een vraag met bijbehorend antwoord over uit een encyclopedie, waar ik hem tijdens het eten mee verras. 'Papa, wist je dat de mol haren heeft die kunnen kantelen, zodat hij zowel voor- als achteruit snel kan bewegen?'

Tussen de collega's van papa staan ook enkele leerlingen. Korte rokjes, lange haren in staarten. De uitverkorenen, want papa heeft 's middags verteld dat het feest alleen voor docenten is.

'Die vader van jou is een artiest,' zegt ome Tom, de leraar tekenen, tegen me. Hij praat met dubbele tong en zijn adem stinkt. Ik word er verlegen van en sputter daarom niet tegen als enkele leerlingen me naast mijn vader op tafel zetten. Papa begint een dansje, houdt me dicht tegen zich aan. Ik vind het fijn. Zijn adem stinkt niet. Het is een lekkere mengeling van sigaren, drank en pepermunt. Zijn aandacht doet me gloeien. Zoals hij naar me kijkt; hij is trots op me. Daar ben ik op dat moment zeker van.

Lang duurt het moment niet, daar op die tafel met papa, want mama vindt dat ik nu echt naar bed moet. Een leerling die ik nooit eerder heb gezien probeert me nog te redden. Ik kijk in haar prachtige smaragdgroene ogen terwijl ze mijn hand pakt. Het meisje heeft lang donkerbruin haar, dat zo dik is dat het me bedekt als een deken terwijl ze zich over me heen buigt. 'Toe, laat haar nog even blijven, ze is zo

grappig...' smeekt ze mijn moeder, die onverwachts streng
is. De blik in de ogen van het meisje brengt me in verwarring. Iets wat ik herken, mijn lijf reageert alsof ik een glas
warme melk met honing in mijn keel gegoten krijg. Ze aait
me en haar aanraking is zo zacht dat ik kriebels voel in
mijn buik.

Dan neemt mama me bij de hand om me terug naar bed
te brengen. Op de gang hoor ik nog steeds mijn vader lachen, lachen terwijl hij ronddraait als de zon om zijn as.

'U moet denken in maanden, niet in jaren.' De stem van de
arts trekt me ruw in het hier en nu. De hersenscan is morgen maar op de uitslag zullen we moeten wachten, vertelt
de arts, want hij gaat op vakantie. 'Naar Toscane,' antwoordt hij op mijn vraag. Ik zie hem liggen op een luchtbed
in het zwembad van een villa terwijl hij breed gesticule-
rend de eventuele kansen en behandelmethoden van mijn
moeder schetst.

Aan de muur hangt een schilderij. Anuszkiewicz, staat er
rechtsonder in grote letters. Lijsten met lijsten erin, steeds
kleiner maar ook steeds scherper. Mijn blik wordt meegezo-
gen naar het kleinste punt, maar als ik de kern wil vastleg-
gen, ontglipt hij me en wijkt het middelpunt juist verder terug.

'Het is ook mogelijk dat u twee ziektes naast elkaar hebt,
kanker en sarcoïdose,' hoor ik de arts nog zeggen.

Met trage passen loop ik de parkeerplaats op. Ik zoek naar
tekenen dat het niet klopt. Maar alles klopt. Het is donker
en het regent. Ik doe het maximale dagtarief in de parkeer-
automaat. De auto staat waar ik hem heb achtergelaten. De
sleutel glijdt in het slot. Ik stel me voor dat ik niet het zie-

kenhuis moet verlaten maar er juist naar binnen ga. Dat ik de uitslag niet heb gehoord, maar hem nu ga ontvangen, of nog beter: dat ik niet weet waar ik ben. Verdwaald op het parkeerterrein van een ziekenhuis, waar de zieke mensen niets met mij te maken hebben.

Toen mama opstond uit de stoel in Goedhards kamer, konden haar benen het graatmagere lichaam niet dragen. Ze viel zomaar op de grond. Ik zag het gebeuren, maar was te laat om haar op te vangen. Goedhard liet een rolstoel komen. Het leek hem beter voor haar nog een nachtje in het ziekenhuis te blijven. Al die tijd liepen er tranen over haar wangen. Tranen zonder geluid. Mijn verdriet kan zij niet dragen. Net zomin als ik het hare. Ik zal een weg moeten vinden zonder haar. Ik ben een wees in wording.

Nu regent het pijpenstelen en als ik het raam open voor wat frisse lucht, word ik meteen kletsnat. De druppels op de voorruit lijken te spiegelen met de druppels op mijn gelaat. Ik rijd maar wat rond.

Over grijze keien, verlicht door ouderwetse straatlantaarns. Langs inktzwart water klimt de auto omhoog. Donkere schaduwen van de bomen vallen over de ramen. Links over de brug ontvouwt zich een schitterend decor. De stad aan de Maas. Mooi en tevreden huilt de stad met me mee. Bij de bioscoop is de film die ik wil zien net begonnen. De volgende voorstelling is om halftien. Ik rijd naar huis en eenmaal binnen schreeuw ik het uit. De vlaai die ik vanochtend voor ik haar ging ophalen nog heb gekocht, smijt ik met doos en al in de vuilnisemmer, de slingers ruk ik van de muren, het papier dat ik op de voordeur had geplakt met de tekst 'welkom thuis lieve mama' belandt in de modder onder de auto op de oprit.

Met de fles wijn in mijn hand sta ik nog even in dubio. Ik wil nog naar de film, niet drinken dus. De film is mijn vriend, mijn houvast. Een film over liefde, dat liefde pijn doet. Ik ben niet de enige met verdriet. De wereld zwelgt erin. Dan open ik een Castello di Ama. Hij is uit het jaar dat mijn vader stierf. Of moet ik zeggen uit het jaar dat mijn oudste dochter werd geboren? Waar kies ik voor? Het glas is toch zeker niet halfleeg maar halfvol: geluk is immers het hoogste goed? Mensen gaan nu eenmaal dood. Als ouders eerder doodgaan dan hun volwassen kinderen, is er niets aan de hand. Je levensgeluk wordt niet bedreigd door een moeder van dik in de zestig die komt te overlijden.

Met de fles aan mijn mond loop ik even later de tuin in. Pikzwart en koud. Het regent nog steeds. Bij de pot met de tegel ervoor blijf ik staan. Gecremeerd wilde mijn vader worden, dat had hij ooit ergens opgeschreven. We wisten niet wat we aan moesten met zijn as. Niks favoriete zee om over uit te strooien en een andere plek waar hij zich goed had gevoeld konden we ook niet bedenken. Toen hebben we de pot maar in de tuin gezet. Er is nog wel ruimte naast, alleen de paksoi zal plaats moeten maken voor haar, en dan zo'n tegeltje ervoor met: 'Rust zacht, lieve mama.' Ik zet mijn nagels in mijn vel en knijp. Ik voel, maar het is niet sterk genoeg. Met mijn handen sla ik tegen de poort van de garage. Pas een schop met de punt van mijn schoen helpt. De pijnscheut trekt via mijn been omhoog naar mijn hersenen. Hij vervangt die andere pijn, al is het helaas van korte duur. Deze is van een geheel andere orde. Hanteerbaar, een waarvoor een oplossing is. Ik hink naar binnen. Het kompres dat ik daar tegen mijn voet duw, verkoelt niet alleen mijn grote teen, maar lijkt ook mijn hartslag te kalmeren.

De deurbel gaat. Een vreemde man staat voor mijn neus,

met aan zijn hand mijn zoon, Kobus. Ik ben helemaal vergeten dat hij hier is, bij mij.

Uiteindelijk heb ik hem toch mee moeten nemen naar Limburg. Op de ochtend van mijn vertrek trof ik hem huilend aan te midden van braaksel in zijn bed. Ik legde mijn hand op zijn gloeiende voorhoofd en pakte even later een tas voor hem in. Hij kon met koorts niet naar het kinderdagverblijf en Thomas kon zijn werkafspraken niet meer verzetten. We probeerden Thomas' vader, tegen beter weten in. Hij woont op nog geen uur reizen, sinds de scheiding van de moeder van Thomas die terug naar haar geboorteland Denemarken is gegaan. Zijn bestaan beperkt zich nu tot het boerderijtje waar hij een kamer huurt en de bridgeclub waar hij overdag speelt. Kobus moest met mij mee. Mijn schoonvader had ook deze keer een belangrijk bridgetoernooi. Gelukkig was de koorts na een dag alweer gezakt.

In de supermarkt kwam ik een oude schoolvriendin tegen. Hoogzwanger van haar tweede kind. Haar zoontje had dezelfde leeftijd als Kobus, dus hij kon met gemak twee dagen bij haar blijven, ze was toch met verlof. 'Jij hebt nu al je energie nodig voor je moeder.' Ik kon haar wel zoenen om haar begrip, en dat deed ik ook. Maar nu stond haar man voor de deur en die was kwaad.

'De afspraak was dat je hem om drie uur vanmiddag zou komen ophalen. Marjorie heeft hem uiteindelijk moeten meenemen naar de verloskundige. Nadien was ze zo moe dat ik eerder van mijn werk moest komen. Jij nam al die tijd je mobiel niet op.'

De echtgenoot kijkt van mijn gezicht naar mijn blauwe teen en vraagt dan ineens bezorgd: 'Gaat het wel? Hoe gaat het eigenlijk met je moeder?' Ondertussen geeft hij Kobus een duwtje naar voren. 'Hier, hij heeft al gegeten en is ook al in bad geweest.'

Beheersing moet ik nu tonen. Een 'ik heb alles onder controle'-houding. Hoe doet Ronald dat ook alweer? Welke trucs zijn er om verdriet te bannen en beheersing te veinzen? Ik bal mijn vuisten en met trillende stem slinger ik een beleefde zin in zijn gezicht: 'Sorry voor alles, wil je misschien nog wat drinken?' Een vraag zoals je hem stelt op momenten als deze. Met een zucht laat hij zijn schouders zakken. 'Nee, dank je, Marjorie heeft me nodig, ik moet gaan.'

Bij Kobus' bed blijf ik nog even staan en ik kijk naar mijn kind dat onmiddellijk na het tandenpoetsen in slaap is gevallen. Beneden luister ik mijn voicemail af met naast de vijf berichten van Marjorie ook de boodschap van een vriend die vertelt dat zijn zoon sinds kort met mes en vork kan eten.

Ik bel mijn broer pas op het allerlaatst, de fles met het bodempje wijn zet ik op tafel. Daarna loop ik naar buiten, waar de tuin nog altijd huilt. Miezerige druppels laten het gebladerte neerhangen.

In de garage vind ik een tas met papa's kleren. Het zijn de kleren die hij droeg op zijn laatste wandeling. Mijn moeder heeft de tas al die jaren bewaard. Hij staat daar langs de kant alsof hij er gisteren is neergezet. De jas verspreidt een muffige geur als ik hem uit de tas pak en om mijn schouders sla. Mijn pumps verruil ik voor zijn schoenen. Die zaten netjes in plastic gewikkeld onderop. De onderkant zit vol opgedroogde lichtbruine modder. Met die veel te grote schoenen loop ik de tuin in. Ze helpen me bij het struikelen, ik hoef niet meer op te staan. Ik blijf gewoon liggen in het gras, dat zacht is en dat me kietelt en aait. Kou voel ik niet.

XI

Het is een warme avond. Thomas en ik springen uit de tram en slenteren het laatste stukje tot het hek. We gaan bij Dimitri en zijn nieuwste aanwinst eten. Vriendinnen verslijt hij bij de vleet. Iedereen vindt hem leuk. Het hele pakket is dan ook aanwezig: een wilde hengst is hij, met dik, bruin golvend haar dat hij altijd met een nonchalant gebaar naar achteren gooit, een vette baan als optiehandelaar en natuurlijk dit appartement aan de gracht.

Een paar weken geleden trof mijn zoontje me in mijn moeders tuin aan. 'Mama, waarom lig jij hier in verkleedkleren in de regen?' Hij knielde naast me neer en streek met zijn vingertjes het haar uit mijn ogen en wat vegen aarde van mijn wang. Ik stond op en had voor het eerst geen beschermende zin voor hem klaar. 'Mama is heel verdrietig om oma.' Mijn stem klonk schor en ik rilde van de kou. Het was nog heel vroeg in de morgen, maar ik moet toch zo'n zes uur op het natte gras hebben gelegen. Kobus leek mijn verklaring heel logisch te vinden. Als je verdrietig bent, dan trek je een rare jas en te grote schoenen aan en slaap je in de regen, in de tuin. Niks geks aan. Hij pakte mijn hand en trok eraan: 'Ik heb honger.' Ik ben nadat ik Brinta voor hem had gemaakt naar boven gegaan en heb mijn lijf warm gedoucht. Daarna hield ik Kobus even heel dicht tegen me aan. De troost die van hem uitging was zo overweldigend dat ik hem moest wegduwen.

In gedachten zie ik mijn vader die op me afloopt en me omhelst. Maar het is geen omhelzing, hij zoekt steun bij mij. Ik ben nog maar klein en dreig om te vallen onder zijn gewicht. Zijn schouders schokken. Hij rilt over zijn hele lijf. Ik troost hem. Als ik mijn arm omhooghoud, kan ik net bij zijn rug. Zachte klopjes geef ik hem. Zoals hij dat ook bij mij deed als ik op mijn knie was gevallen, of die keer dat ik door het ijs was gezakt.

'Wat is er papa, wat is er, heb je het koud?' Hij antwoordt niet maar kijkt me aan, laat me los en loopt bij me vandaan. Het ergste is zijn blik: wezenloos, zo dof als de blik in de ogen van mijn konijn Grijsje toen ik hem dood aantrof in zijn kooi.

Thomas keek me onderzoekend aan nadat we uit de tram waren gestapt op de hoek van de gracht waar Dimitri woont. 'Vanavond houden we het leuk, toch?' Irritaties over en weer waren er vanaf het moment dat ik de tassen van Kobus en mij die zaterdag na een week bij mama in de gang zette.

Een gestofzuigde, opgeruimde woonkamer had ik achtergelaten. Nu lagen er kranten, reclamefolders, zelfs klokhuizen op de grond. Vla drupte over de rand van de tafel. In de plant hing een kauwgombal naast een spin. En in mijn oud-Engelse kussens zaten de afdrukken van kinderhanden, in chocolade. 'Mama, wat eten we vandaag?' Ik maakte me los uit Lotta's omhelzing en liep geroutineerd naar de koelkast om te kijken wat erin zat. Een week was ik weg geweest, en ik was nog geen tien minuten thuis of ik liet me weer in de rol van huissloof duwen. De vraag van mijn dochter, de vieze koelkast met etensresten, niks bruikbaars voor een gezonde maaltijd. Thomas die ineens in hardloop-kleding achter me stond. Even sloeg hij zijn armen om me heen, mompelde: 'Fijn dat jullie er weer zijn,' en trok ver-volgens de deur met een knal achter zich dicht voor zijn rondje van tien kilometer, waar hij de hele week al niet aan was toegekomen. Alsof ik hem ieder moment achterna kon komen, zo snel maakte hij zich uit de voeten.

Op de tafel in de tuin stond de Tefal-pan waar ik altijd zo voorzichtig mee was, zwartgeblakerd. Bij de post geen sterk-tekaart van een vriendin, geen vriendelijk bericht op de voicemail. De meisjes vluchtten achter hun pc's om mijn ge-mopper te ontlopen. 'Met papa alleen was het veel gezelli-ger,' schreeuwde Lotta waarna ze de deur zo hard achter zich dichttrok dat de vaas met verlepte bloemen van de ven-sterbank viel.

Even later wilde ze toch wel ganzenborden met Frede-rikke en mij.

Ik ging er met de pion vandoor zoals een cel in het li-chaam van mijn moeder aan de wandel was gegaan en zich door haar lymfeklier had geperst. Ik gooide steeds zes, ik kon er niets aan doen. En terwijl mijn pion op rasse schre-den het eindpunt naderde, zag ik de cellen door mama's li-chaam marcheren, zich door de resterende klieren wur-mend, over elkaar buitelend in haar longen, zich verstoppen in de verste hoeken en gaten.

Wanneer heeft deze wandeling plaatsgevonden? Weken, maanden of jaren terug? Was het tijdens een les zwanger-schapsyoga, waar mama aan de groep vertelde over de cel-deling, de kiem van het leven? 'Aan de buitenkant is nog weinig te zien. Een kleine welving bij de buik, misschien al wat grotere borsten. Vanbinnen delen de cellen zich, bruisend van leven, miljoenen keren, worden de organen van een nieuw mensje aangelegd, vindt er uitwisseling plaats van voedingsstoffen en zuurstof tussen jou en je kind.' Terwijl zij het vertelt, spatten de cellen in mama's lichaam ongezien uiteen in een onbeheerste chaos, een ongebreidelde groei, klaar om ander weefsel af te breken. Kankercellen met het motto: verdeel en heers. Maak het lichaam maar kapot.

Die avond deed ik een halfslachtige poging contact met mijn man te maken. Ik ging naast Thomas op de bank zitten en vroeg: 'Wat kijk je?' Hij bromde iets. Ik stond op en ging naar boven. In elk ander gezin zou toch op z'n minst gepraat worden; gevraagd hoe het met schoonmoeder ging?

'Nee hoor,' zei een vriendin monter toen ik met haar aan de telefoon zat. 'Mijn vent is net zomin een prater als die van jou. *Give him a break*, meisje, hij heeft er tenslotte wel voor gezorgd dat jij de hele week bij je moeder kon zijn.'

Vol goede bedoelingen trok ik het lingeriesetje van Brussels kant aan waar hij zo op geilt. We vreeën mechanisch. Hij bovenop, ik onder. We vreeën omdat dat de gewoonte is na een scheiding van een week. Wij waren getrouwd. We hadden recht op elkaars lichaam maar tot liefkozen kwamen we niet. Mijn gedachten vonden hun weg, koppelden zich los van mijn lichaam. Terwijl hij verwoed in me stootte, dacht ik aan de was. Ik moest er dadelijk nog een in gooien, anders had Lotta morgen geen gymkleren en Frederikke geen onderbroek om aan te trekken.

Thomas lag boven op me te hijgen en te zweten als een otter. Ik werd nat van zijn zweet. De druppels vielen van zijn voorhoofd op mijn borsten. Die aanblik leek hem in ex-

tase te brengen. Hij kneedde mijn borsten alsof hij mee-
deed aan een wedstrijd pizzabodems maken.

'Au, dat doet pijn.' Terwijl ik het zei, duwde ik hardhandig zijn arm weg.

Onverstoorbaar legde hij zijn hand opnieuw op een
borst, hij tilde hem iets op en begon met de binnenkant
van zijn vlakke hand over mijn tepel te wrijven, zoals ik altijd zo lekker vind. Alleen vond ik het nu weerzinwekkend.
Ik zag het witte gezicht van mijn moeder voor me, ik voelde
het verdriet om haar in mijn buik en tegelijkertijd zag ik de
begeerte in de ogen van Thomas. Ik dacht weer aan de was,
aan de mail die ik morgen moest beantwoorden, aan het
feit dat we nog altijd geen vaste oppas hadden gevonden
voor de donderdag, aan de vraag hoe ik in vredesnaam mijn
leven hier, met mijn gezin, op de rit moest houden.

Thomas kreunde en ik klauwde mijn nagels in zijn rug.
Ik beet op mijn lip in een wanhopige poging om mijn af-
keer niet te laten merken. Hij liet speeksel op mijn andere
tepel vallen en wilde hem tussen duim en wijsvinger nemen, toen het me te veel werd en ik hem van me af duwde.
Thomas ging rechtop zitten en keek me verbaasd aan. 'Jij
bent alleen maar met jezelf en klaarkomen bezig,' beschul-
digde ik hem. Hij liet zich achterovervallen op het bed, legde zijn armen achter zijn hoofd en zei verder niets. Uren
lag ik te luisteren naar zijn zachte gesnurk.

Dat verdriet zo eenzaam kon zijn, dat een eenheid erdoor splijt, het nam me langzaam maar zeker volledig in
bezit.

Voor we aanbellen bij Dimitri herhaalt Thomas nog eens
zijn smeekbede van zojuist bij de tramhalte. Hij vraagt me
een vrolijk gezicht op te zetten en oppervlakkig te antwoor-

den op de vragen van Dimitri. Dus niet: 'Nee, het gaat helemaal niet goed met mij. Mijn moeder gaat dood en ik weet bij god niet wat ik dan nog te zoeken heb op deze kloteaarde.' Maar: 'Alles oké hoor, we zijn op zoek naar een huis. Hè, wat zeg je? O je vraagt naar mijn moeder? Nou, mijn moeder gaat dood, maar dood moeten we tenslotte allemaal een keertje.' Op bezoek bij Dimitri is normaal gezien altijd een ware happening, dus ook deze keer moet dat toch lukken?

We bellen aan en steken onze tongen uit naar het cameraatje naast de bel. Met dit huis etaleert onze vriend zijn succes als 'beste optiehandelaar die er is'. Lachend voegt hij er dan altijd aan toe dat hij tevens kampioen stratego is van zijn geboorteplaats Laren. Dimitri wil hard vooruit in het leven, en daarom gaat hij over twee maanden een bedrijf in vermogensbeheer starten. Vanavond willen we niet alleen gezelligheid, maar ook zijn advies over de hypotheekvorm die we hebben gekozen, want we kunnen er nu nog onderuit. Hij weet alles van hypotheken, zoals hij alles over geld weet.

Boven aan de trap doet Dimitri open in een strak wit overhemd met een boord met hippe punten. Zijn haar zit vol gel en er staat een Ray-Ban-zonnebril in, alsof hij net nog buiten was. We kussen elkaar ter begroeting en zoals altijd zegt hij: 'Hmm, wat ruik je lekker.'

Hij gaat ons voor naar de immens grote woonkamer, met alleen een witte loungebank erin en een glazen tafel met zes witte stoelen eromheen. De muren zijn ook wit, op de foto na die de hele wand tegenover de bank bedekt. We gaan op de bank zitten en worden zo gedwongen naar de zwart-witfoto te kijken. Dimitri die vanuit de hoogte op ons neerziet. Als een engel voor de hemelpoort.

Zijn vriendin, een lange, blonde schoonheid, eet de gazpacho met de lepel naar zich toe. Bovendien leunt ze met haar hele linkerarm op tafel. Etiquette is belangrijk voor hem. We zullen ons best doen haar niet te leren kennen. Volgende keer zit er weer een ander.

Dimitri vraagt niet naar mijn moeder, maar legt wel tijdens het eten heel beschermend onder de tafel een hand op mijn schoot, of eigenlijk in mijn kruis.

Voor het hoofdgerecht komt, leggen we de hypotheekoffertes op tafel. Het zijn er vier. Na vijf minuten lezen, wijst Dimitri op wat formulieren met een watermerk. Ze beschrijven de maximale, volledig aflossingsvrije beleggingshypotheek. 'Dit is de beste,' zegt hij; in zijn stem geen spoortje twijfel. 'Je moet van de maximale fiscale aftrek profiteren, de allerhoogste lening nemen, want zo goedkoop kan het nooit meer. De laagste maandlasten; jullie willen toch nog regelmatig op vakantie? Aflossingsvrij doen dus, en jullie levens beslist voor niet meer dan de helft verzekeren. Jullie blijven toch wel werken, zo bouw je het snelst vermogen op.' Hij ontkurkt de tweede fles champagne. Het advies van Dimitri komt precies overeen met dat van onze hypotheekman met het tennisracket.

Nog even probeer ik het gesprek te brengen op een artikeltje dat ik zojuist in de krant heb gelezen. Het ging over mensen in de vs die hun hypotheek niet meer konden betalen en daarom noodgedwongen in een Jeep op een parkeerplaats moesten wonen.

'O, maar die Amerikaanse toestanden, die komen hier nooit, dat is gebaseerd op een heel ander systeem,' zegt Dimitri en hij grapt wat met Thomas over mij en over vrouwen in het algemeen, die altijd maar beren op de weg zien en geen risico's durven nemen, waardoor ze nooit in de buurt zullen komen van het vermogen dat geslaagde mannen weten te vergaren.

'Weet je wat het is,' zegt Dimitri terwijl hij zijn mouwen oprolt, een sigaret opsteekt en zich vooroverbuigt naar Thomas, 'vrouwen zijn controlfreaks. Om rijk te worden, moet je de controle laten varen, anders lukt het je nooit.' Ik zeg niets, maar ik denk aan mijn broer. Mijn broer met zijn zorgvuldig opgebouwde en beheerde spaargeld, die vermoedelijk meer bezit dan Dimitri en zijn vader bij elkaar.

Dimitri steunt met zijn kin op beide handen als hij overgaat op een ander, eveneens aan geld gerelateerd onderwerp. 'Ik heb net over een leuk onderzoekje gelezen en ik ben benieuwd naar jullie mening,' zegt hij. 'Willen jullie liever veertigduizend euro per jaar verdienen terwijl je buurman dertigduizend vangt, of dat jij vijftigduizend hebt en je buurman zestigduizend?' Ik moet even naar de wc. Waar gaat dit over? In de badkamer is alles van chroom, Italiaans design.

Als ik terugkom, hoor ik die lieve Thomas nog net zeggen dat hij het zijn buurman best gunt om meer te verdienen. 'Van die tienduizend kunnen wij lekker op vakantie.' 'Nou, dan zijn jullie bijzondere mensen.' Dimitri legt terwijl hij het zegt bezitterig een hand op die van zijn vriendin. 'Uit het onderzoek blijkt dat mensen elkaar over het algemeen niets gunnen, nog niet eens het verdriet van een verlies of na een scheiding. Het eigen verdriet is altijd groter. Zo zul jij, Marieke,' – even tikt hij me tegen mijn wang – 'je nu wel heel rot voelen over je moeder terwijl Katinka,' – hij draait zich nu naar zijn vriendin – 'jou een bofkont zal vinden. Haar moeder is gestorven toen ze veertien was.' Hij buigt zich over de tafel heen, strijkt teder een pluk haar opzij en kust haar op haar oor.

Het hoofdgerecht komt van de traiteur een paar deuren verderop. 'Entrecote, spruitjes met foelie en crème van tamme kastanjes,' zegt Dimitri op een toon alsof hij zelf de hele dag in de keuken heeft gestaan.

'Hoe is het eigenlijk met je plannen voor je bedrijf?' vraag ik quasi-argeloos. Dimitri gaat er goed voor zitten. 'Een paar van mijn grote klanten willen mee. Ik ben al bij de Kamer van Koophandel geweest en ik heb een riant pandje op het oog hier vlakbij, kunnen we zo wel even langswippen.' Ondertussen legt hij een witte doek over zijn arm en schenkt hij ons in van 'de beste rosé die er is'. Als student was Dimitri ober. Hij weet precies hoe het hoort.

'Deze komt uit Zuid-Frankrijk. Rosé is uitgevonden dankzij de hitte van de Zuid-Franse zon. Voor de frisheid liet men de schillen maximaal een etmaal in het sap liggen. Die korte weking zorgt voor de lichtrode kleur van de wijn en voilà: rosé.'

Ik vind rosé eigenlijk helemaal niet lekker. Voor mij is het net zoiets als Senseo-koffie. Niet het echte werk, je gaat voor het surrogaat. Maar ik drink er toch van. Ik drink ervan omdat het zo gemakkelijker is vrolijkheid te tonen, aantrekkelijk gezelschap te zijn. Ik laat via Thomas' hand druiven in mijn mond glijden, ik lach om Dimitri's grappen en sluit me met zijn vriendin op in de badkamer als ook de fles rosé op is. We smeren elkaars lippen in met lippenstift en kussen onszelf vervolgens duizend keer op de spiegelwand naast het bad.

Terug naar huis missen we de laatste tram. We nemen een taxi. Thomas is helemaal door het dolle heen. 'Zo'n leuke avond hebben we in geen tijden gehad, hè schat?' zegt hij en kijkt me stralend aan. Dan begint hij over hoe goed Dimitri met geld is en dat het zo fijn is dat hij onze keuze voor een hypotheek ook de beste vond. Ik zeg niets en staar uit het raam. Mijlenver ben ik van mijn echtgenoot verwijderd. Als hij mijn lippen zoekt, beantwoord ik zijn kus, maar als hij met zijn tong de mijne raakt en hij met zijn goede avond, goede vrienden en het idee dat wij dit jaar huiseigenaar worden, binnen wil dringen, draai ik mijn hoofd weg.

Interludium

Een klop op de deur doet me opschrikken uit het verhaal van de jonge vrouw. Het enigszins weifelende kloppen houdt aan, ook als ik nadrukkelijker 'binnen' roep. De Convex-klok aan de muur, een cadeautje van mijn echtgenoot bij het eenjarig bestaan van de praktijk, geeft aan dat het nog lang geen tijd is voor mijn afspraak. Toch is zij het, de oude bekende met wie ik vandaag twee sessies heb. Het komt vaker voor dat klanten te vroeg komen. Soms hebben ze meer dan een uur gewacht voor ik hen binnenlaat. Wat dat betreft is het net als bij de Drie Dwaze Dagen van de Bijenkorf voor openingstijd: mensen staan te popelen om binnen te mogen, om hun verhaal aan mij toe te vertrouwen.

Als ik de deur enigszins geïrriteerd opengooi, beweegt de vrouw zich juist weer in de richting van de trap naar beneden. Haar rug is licht gebocheld. De bruine gehaakte omslagdoek over de roomwitte mantel rekt uit waar de bochel zit. Pas als ik haar aanraak, reageert ze en draait ze zich om. Ik zie een kwetsbare blik en ruik haar geur, die meteen herinneringen bij me losweekt. Muskus, iets kruidigs dat ik niet thuis kan brengen en die lucht die in je kleding blijft hangen als je lang voor de open haard hebt gezeten. Mijn stem kiest automatisch een warm timbre als ze zich met luide stem verontschuldigt. Ze is te vroeg, ze weet het en ze kan wel even wachten op de gang...

Niet nodig, gebaar ik en laat haar binnen, help haar uit de mantel, die zo lang is dat hij de grond raakt ook als ik hem aan de kapstok hang. Haar muskus-houtgeur vult mijn neusgaten en het heeft een bijna meditatieve werking op mijn gemoed. Ze laat haar gezette lichaam vallen in de schommelstoel die voor de geopende balkondeuren staat. Ik pak ondertussen de opnameapparatuur uit de kast. In het keukentje op de gang, dat ik deel met een huisarts die zijn praktijk voert in de belendende ruimte, bereid ik voor haar een koffie verkeerd. Ze moet straks langs het ziekenhuis in de stad, zo verklaart ze de dubbele afspraak die mijn telefoniste – op afstand – vandaag voor haar heeft gemaakt. Er schijnt hier in de stad een goede kno-arts te zijn voor de second opinion waar ze om gevraagd heeft. Haar eigen arts beweerde dat ze met haar linkeroor over niet meer dan tien procent van de op haar leeftijd gebruikelijke hoorcapaciteit beschikt en dat haar andere oor snel achteruitgaat. Mijn reactie bestaat uit enkel en alleen begripvol knikken.

Dat is mijn taak: luisteren en empathie tonen. Mijn klanten zitten niet op een advies te wachten, laat staan dat ik hun mijn waarheid vertel.

Ondertussen heeft de vrouw uit de boodschappentas die aan haar voeten staat een frambozentaart opgediept. 'Zelf gebakken,' schreeuwt ze trots, terwijl ze alleen voor mij een stuk afsnijdt en vervolgens haar geruite enkellange rok schikt ten teken dat ze er klaar voor is. Klaar voor haar verhaal. Klanten voelen zich op hun gemak bij mij, maar een theekransje mag het niet worden. De registratie van de stem op de band moet foutloos zijn. Het is zaak dat de band elke verandering van klankkleur, toonhoogte en volume vastlegt, want meestal introduceren die een ijkpunt in iemands leven. Daar waar de stem omhoogschiet, is het mijn taak alert te blijven, de gezichtsuitdrukking nauwlettend in de gaten te houden. Elke trek met een wenkbrauw, een mondhoek die omlaag schiet, een lachje, hoe klein ook, markeert een emotie die onbewust de hoogte- en dieptepunten in iemands leven weergeven. Daarom ben ik misschien wel zo succesvol: omdat ik als enige die combinatie van stemgebruik en mimiek, elke afwijking, hoe minimaal ook, herken en registreer.

Het is me niet vreemd wat de oude vrouw vertelt. Bij mij komen voortdurend vrouwen over de vloer met het verhaal dat hun echtgenoot niet de vader van hun kinderen is. En voor ze bij mij komen, is daar een lange weg van verzwijgen aan voorafgegaan. Verlatingsangst, financiële overwegingen, zelfs pure gemakzucht: redenen te over, maar voor mij maken de redenen slechts onderdeel uit van het verhaal dat ik opteken. Ik registreer louter objectief, zonder er een moreel oordeel aan te verbinden.

Ze had hem ontmoet, haar toekomstige man, op een zaterdagmorgen bij de bakker. Een Canadees was hij, blijven hangen na de oorlog. Misschien was het omdat hij meer dan tien jaar ouder was dan zij, maar in ieder geval was de Canadees een van de weinigen die haar nukken accepteerde. De vriendjes die ze tot dan toe had gehad, beknotten haar te zeer in haar vrijheid. Deze man was anders. Heel teder streelde hij het vet op haar buik, blies zachtjes in haar oor: op slag verliefd was ze. Ze trouwden op een gure dag in maart. De wind blies hen voort over de straat, zo de kapel in. Zij was het die voorstelde naar Canada te emigreren, opdat de rust en de ruimte haar daar de balans zouden brengen waar ze zo hevig naar op zoek was.

In het vliegtuig naar Vancouver deed ze zonder dat haar man het wist, op het toilet een zwangerschapstest. De test bevestigde haar vermoedens.

Haar eerste jaren in Canada beschrijft ze als een van de gelukkigste periodes in haar leven. Met een bijna sacraal gebaar legt ze tijdens het vertellen haar handen in haar schoot, haar schouders zakken omlaag, de stem is niet meer schreeuwerig, maar beheerst en afgewogen. Ze kijkt me tijdens het verhaal regelmatig in de ogen, neemt zelfs even de tijd om een stuk frambozentaart voor zichzelf af te snijden. Als ik wat steekwoorden over mijn waarnemingen opschrijf, hoor ik hoe bijna terloops haar stem verandert. De toon verlaagt, haar ademhaling wordt schokkerig als ze bij een periode ongeveer vijf jaar na de emigratie naar Canada is beland. Ze begint mijn blik te ontwijken, veegt met haar pink wat traanvocht uit haar ooghoeken weg. Ik schuif mijn stoel wat dichter bij de hare, want ik weet dat het echte verhaal hier begint, de reden dat ze mij heeft ingeschakeld, de reden van haar bezoek. De doos met tissues schuif ik wat dichter naar haar toe. Niet alleen de vrouwelijke klanten huilen bij me uit, laat ik dat vooropstellen. Ook mannen uiten zich regelmatig alsof ze een vat met chemicaliën opentrekken: na de woorden van mijn klanten volgt er vaak een explosie aan tranen.

Het huilen van de vrouw zet ongecontroleerd op. Misschien houdt ze zich door haar doofheid nog minder in dan ik van klanten gewend ben. Het aanvankelijk snikken gaat over in brullen en kermen en vult schaamteloos de afstand die er tot dan toe tussen ons bestond. Misschien net iets te snel en te hardhandig druk ik nog wat tissues tegen haar verhitte wangen, terwijl zij met een bruusk gebaar wat zweetdruppels van haar neusvleugels veegt.

Het onverklaarbare uitblijven van een tweede zwangerschap schudde haar uiteindelijk wakker. Haar ideale gezinnetje – man en dochter waren verknocht aan elkaar – bleek een zeepbel. Na de afronding van ziekenhuisonderzoeken, waaruit keer op keer werd aangetoond dat bij haar alles intact was, begon het pas te dagen.

Ze was in de tijd dat ze nog in Nederland woonde ook na haar huwelijk veelvuldig op studentenfeestjes over de schreef gegaan. Het juk van haar beschermde jeugd vol truttigheid en spruitjeslucht kon ze op die wilde feesten, waar de vrije liefde tot kunstvorm werd verheven, van zich afwerpen. Dat ze haar vermoeden niet bevestigd wilde zien en toen al besloot het voor man en kind verborgen te houden, was allerminst op eigenbelang gestoeld. Ze zou het geheim koesteren: de hechte gezinsband moest blijven zoals hij was.

Haar verontschuldigende blikken onthullen de onzekerheid die ze met de gekozen woorden voor zich probeert te houden. Met haar ogen smeekt ze bijna om mijn goedkeuring. De smeekbede is tevergeefs. Hoewel haar verhaal mij in dit geval persoonlijk raakt, zal ik er beroepshalve nooit op ingaan, laat staan mijn mening erover geven. Ik zal naar haar luisteren, ik zal haar verhaal optekenen in de geest van haar denkpatroon. Maar nooit zal ik verleid worden tot een oordeel: positief noch negatief.

Het glas water dat ik voor haar heb neergezet, neemt ze dankbaar aan. Ze neemt een paar slokjes en zegt vervolgens bedachtzaam dat ze er echt niet trots op was dat ze de waarheid voor man en kind verborgen had gehouden, maar hoe kon ze anders? Als die twee alleen al naar elkaar keken, gingen ze stralen. De band was zo sterk. Al hadden ze misschien weinig uiterlijke overeenkomsten. Niemand in de omgeving zou ooit ook maar de geringste twijfel hebben over hun bloedverwantschap. De manier waarop beiden een kopje optilden: met de ringvinger omhoog. Als ze een jas aantrokken, ging bij beiden de linkerarm eerst, ook al waren ze rechtshandig. Daar kwam nog bij dat haar man niet de indruk wekte dat hij nadacht over een tweede kind.

Zelf accepteerde ze een aanbod om promotieonderzoek te doen naar bid- en devotieprenten voor een universiteit in haar geboorteland. Het vele heen en weer reizen tussen Canada en Nederland voorzag haar van een door de omgeving geaccepteerd excuus voor een nieuwe zwangerschap.

De oude vrouw zwijgt. Haar leeftijd is plotseling gelijk aan de rimpels op haar wangen. Zo licht als haar echtgenoot haar verklaring opvatte, zo moeilijk moet het voor haar zijn geweest zich te verzoenen met haar lot. Ze had altijd gedroomd van een gezin met minstens vier kinderen, zo verzucht ze.

Als ik de opnameband stilzet, hangt het verdriet zwaar in de kamer. De vrouw snuit haar neus in een boerenzakdoek, die ze opdiept uit de boodschappentas. Ik streel haar arm en help haar overeind uit de schommelstoel. We zwijgen allebei als ik haar in de roomwitte mantel help. Aan het eind van de middag zal ik haar terugzien voor de rest van het verhaal, en ik weet dat haar verdriet voornamelijk stoelt op wat nog gaat komen. Het gevoel dat aan een herinnering vastgeknoopt zit, is sneller dan de woorden die dezelfde herinnering omschrijven. Wellicht is een tweede afspraak op dezelfde dag in dit geval helemaal niet slecht. Misschien moet ik de telefoniste daarvoor bedanken en aangeven dat ze het als een vaste mogelijkheid inbouwt, ook voor andere klanten. De tussentijd geeft de vrouw de kans zich te herpakken en haar gedachten te ordenen.

Als ze de deur achter zich heeft gesloten, blijft haar zware lichaamsgeur, vermengd met haar kruidige parfum, hangen in de kamer. Ik zet de balkondeuren helemaal open, steek een sigaret op en inhaleer diep. Ik probeer mijn gedachten los te maken van de vrouw teneinde verder te kunnen werken aan het verhaal waarmee ik mijn werkdag begon.

Pas als ik minutenlang voor me uit heb gestaard en aan mijn vierde sigaret trek, voel ik dat ik er langzaamaan klaar voor ben. Ik druk de sigaret uit in het asbakje dat aan het balkon hangt. Onderweg naar het keukentje vang ik een glimp op van de huisarts die achter de deur van zijn praktijk verdwijnt.

Ik heb veel aan hem te danken. Niet alleen huur ik van hem voor een vriendenprijsje de ruimte naast zijn praktijk en vindt hij het vanzelfsprekend dat ik zijn keuken met hem deel, maar hij heeft ook nog eens mijn eerste klanten naar mij verwezen. De patiënten die niet in aanmerking kwamen voor mannengroepen, scheidingsconsulenten, mindfulnesstrainingen of een andere vorm van therapie, stuurde hij direct een deur verder. Mond-tot-mondreclame deed daarna de rest, en nu moeten patiënten die via hem komen soms zelfs maanden wachten, zo druk heb ik het.

In mijn kamer probeer ik de spanning in mijn schouders weg te masseren. Eenmaal achter de computer valt de omschakeling me nog altijd zwaar. Om in het verhaal van de jonge vrouw te komen, heb ik haar stem nodig, haar sfeer en het gevoel dat haar verhaal bij me teweegbrengt. Uit de kast met opnamemateriaal pak ik het juiste schijfje. Al snel nadat ik mijn koptelefoon heb opgezet, vullen haar timbre en haar woorden mijn gedachten.

XII

'Ontslagen worden is nooit leuk,' troostte mijn moeder me toen de rayonmanager me op mijn vijftiende op staande voet ontsloeg als schoonmaakster van het gemeentehuis. Ik kon nog lachen toen mijn moeder eraan toevoegde dat het natuurlijk wel leuk was om ontslagen te worden uit het ziekenhuis. Deze keer gaat dat voor haar niet op.

Op weg naar buiten loopt haar zieke lichaam mee. Het is geen feestelijk vertrek; anders dan bij de meneer die twee bedden rechts van haar had gelegen, staat er geen rij verpleegsters klaar om afscheid te nemen. Wel komt buurman Ber bij haar thuiskomst uit zijn tuin gesneld om een praatje aan te knopen. Mama kijkt lijdzaam toe hoe ik de deur van haar woning open terwijl buurman Ber vertelt over alle mensen die hij kent met een nog ernstigere vorm van kanker.

De deurbel gaat om acht uur 's ochtends. Mijn moeder en ik liggen nog te slapen. Ik ren de trappen af en mijn hand blijft steken achter een fotolijst die daardoor van de muur valt.

De glasscherven scheiden mij van mijn broer op de foto. Lachend kijken we in de camera, onze ogen dichtgeknepen tegen de zon. In badkleding staan we voor het zelfgebouw-de zandkasteel. Een glasscherf snijdt de arm van Ronald om mijn schouder in tweeën. Een foto met een door mij ge-koesterde herinnering. Die goeie, ouwe tijd toen ik van de zoon van Menken (die van de Menken-melk) mijn eerste liefdesbrief kreeg. De tijd van dauwtrappen in de duinen met Hemelvaart en op de fiets met papa naar de Waalsdor-pervlakte voor de dodenherdenking, ijsjes eten na een stranddag onder aan de Klip en Chinees halen op de Luifel omdat mijn moeder geen zin had om te koken. De tijd dat ik als kind ook echt nog kind was.

Schattige staartjes had ik toen.

Het meisje dat voor me staat als ik de deur opendoe, heeft dezelfde staartjes als ik op de strandfoto. Ze lijkt op dat meisje, nauwelijks ouder.

'Hallo, ik ben Daniëlle.'

'Mijn moeder is boven,' zeg ik. Ik ga haar voor op de trap en ze stapt met haar witte klompjes over het glas terwijl ik met mijn voet op een glasscherf een diepe inkeping maak in de houten trap.

'Ongelukje,' zeg ik. 'Ik ruim het zo op.'

Ik breng haar naar mijn moeder en laat de deur open-staan, zodat ik hun gesprek kan volgen terwijl ik de glas-scherven opruim. 'Au,' roept mijn moeder een paar keer.

'Ach, die dochter van mij is niet zo handig,' hoor ik haar ook zeggen. 'Die liet als kind al altijd alles vallen, net haar vader.'

Terwijl ik met blik en veger de grote stukken glas eerst opveeg, zijn ze in de badkamer.

'Nee, niet die washand; ik wil die zeep; nee je moet het niet zo strak kammen.' Het is voor mij een opluchting haar tegen iemand anders zo te horen uitschieten. Misschien verzorg ik haar, ondanks mijn gekluns, helemaal nog niet zo slecht.

Het ontbijt serveer ik vervolgens alsof ik het zevengranenbrood zelf gebakken heb. De kaas is een oude Beemster, waar zij zo van houdt, en het bord heb ik gegarneerd met bosbessen en kiwi; volgens het moermandieet onmisbaar voor mensen met kanker. Daniëlle lijkt niet onder de indruk, noch lijkt ze mijn voortdurende aanwezigheid vreemd te vinden.

Ze pakt een pen, schrijft wat in het dagdossier en dan wil ze vertrekken. Bij de deur druk ik de huissleutel in haar hand. Ze kijkt er verbaasd naar en zegt: 'O, maar dat kan ik niet aannemen,' alsof ik haar zojuist een fooi heb toegestopt.

'Wat bedoel je? Je móét hem aannemen; mijn moeder kan niet alleen de trap af.'

'O, nee mevrouw, wij mogen nooit sleutels van klanten accepteren, u bent er morgen toch ook nog?' Ze kijkt me met haar blauwe ogen aan.

'Ja, maar de bedoeling van thuiszorg is toch juist dat ik er niet hóéf te zijn?' Met mijn platte hand sla ik een vlieg dood tegen de deur.

'Regels zijn regels,' vindt Daniëlle. Of ze de volgende dag weer komt, weet ze niet. Vanavond in elk geval niet, dan komt Olga. Als ik later het dossier lees, staat daar: *Mevrouw gewassen en geholpen met aankleden en transfer van trap*; alsof mijn moeder de overstap van Juventus naar Real Madrid heeft gemaakt, of in een busje van het vliegveld naar haar vijfsterren vakantiecomplex is vervoerd.

Vanaf die dag komt er in de 'dagrapportage' van het thuiszorgdossier een drukke correspondentie op gang over het probleem met de sleutel. Dagelijks wordt in het dossier de opmerking geplaatst dat het de medewerkster niet is gelukt contact op te nemen met de manager, die een eindeloze cursus stressmanagement volgt op een kasteel ergens in Brabant. Of de volgende medewerkster het maar even wil proberen.

Ronald maakt een schema voor de komende tijd. Om de deur 's ochtends en 's avonds te openen voor de thuiszorg zullen wij, samen met twee zussen van mama, afwisselend bij mijn moeder blijven.

Mijn baas heeft me, nadat ik mijn tweede verlofweek had verbruikt, voor de zekerheid maar alvast op een ander project gezet: een schrijfcursus voor tienermoeders, die ik moet helpen met het invullen van formulieren; kinderopvang, belastingen en dat soort werk. Ze kunnen me daar gemakkelijker missen, want tot nu toe zijn er slechts twee aanmeldingen.

Thuis past voor het eerst sinds jaren de vader van Thomas op onze kinderen. Hij is nogal verward sinds de scheiding van Thomas' moeder, die niet alleen dertig jaar lang zijn echtgenote was, maar ook zijn secretaresse. Gisteren hing Lotta aan de lijn. Opa kwam hen een uur te laat van school halen omdat hij zo verdiept was in zijn *Bridge Magazine* dat hij de tijd vergat.

Toen ik met mijn koffer op wieltjes voor de deur stond, hadden Ronald en mama een prima week gehad. Als ik Mozart op wilde zetten, dan stelde ze een cd uit het verzameld werk van Couperin voor; cadeautje van Ronald. En kon ik misschien aan Ronald vragen hoeveel minuten hij de eitjes altijd kookte? Die waren namelijk precies naar haar smaak. De verwarming moest op zestien graden, zoals Ronald en zij het prettig vonden.

Toegeeflijk trok ik een dikke trui aan en legde koffie-pads in het Senseo-apparaat.

'Jij lustte toch geen Senseo?' vroeg mijn moeder verbaasd toen we allebei aan een minuscuul rood kopje nipten, zoals ik Ronald en mama had zien doen. 'Nee, niet echt, maar ik vind het wel gezelliger zo.' 'Ben je gek, straks vraag je nog een tumor aan sinterklaas omdat dat gezellig voor mij is.' Een halfuur later zat ik met een hele grote mok sterke zwarte koffie naast mijn moeder in bed. 'Daar ben je weer, mijn meisje.' Ik hoorde zoveel tederheid in haar stem dat ik mijn tranen moest wegslikken.

Ronald stond op het punt te vertrekken voor zijn zaken-vlucht naar Londen vanaf Maastricht Airport. Eerst wilde hij nog iets met mij bespreken. Nog zo'n hele week bij ma-ma doorbrengen, dat kon hij zich niet meer veroorloven. Enkele belangrijke projecten waren de afgelopen maand al aan zijn neus voorbijgegaan. 'Begrijp me niet verkeerd, zus; ik heb alles voor mama over, maar dit houdt geen mens vol, jij ook niet.'

Stiekem was ik het met hem eens. Het werd te ingewik-keld: de opvang voor de kinderen, het geregel en de scheve ogen op mijn werk, het feit dat Thomas en de kinderen me zo misten, doodmoe werd ik ervan. Bovendien: hoe lang zou het nog zo voortduren? Hoe moest dat als de chemo-therapie ging beginnen en ze dagelijks naar het ziekenhuis moest worden gebracht en worden opgehaald? Ronald had zoals gewoonlijk zijn plan al klaar. Een keurige lijst met te-lefoonnummers van verzorgingstehuizen in en rondom de stad van haar voorkeur, zijn woonplaats.

Een tiental tehuizen belde hij, terwijl ik naast hem zat om keer op keer een streep te zetten door een naam op het papier. De ene telefoniste lachte ons nog harder uit dan de andere. Je moest ingeschreven staan, de gemiddelde wachttijd overschreed die van de kinderdagverblijven van mijn kinderen. Aan het eind stond er slechts door één naam nog geen streep. Die was van meneer Hafelte van Het Beukenhof. Hij zou zijn uiterste best doen een plekje voor mama te vinden, nadat hij geduldig ons verhaal had aangehoord. Wel moesten we volgens hem nog een indicatie voor intensieve verpleging regelen.

Het is de dagen erna telkens weer een verrassing voor wie van het thuiszorgteam ik de deur opendoe. De ene keer toont mijn moeder haar naakte, broze lichaam aan een jong, blozend blondje, dan weer aan een dikke brunette met roze lipstick, een bezwete en harige vijftiger in een doktersjas of een roodharige in een legging waarin de driehoek van een enorme venusheuvel geboetseerd ligt. Steeds haalt een andere vrouw de washand langs mijn moeders schaamstreek en over haar rimpelige billen, of wat daar nog van over is. Twee lekgeprikte ballen aan elkaar vastgeplakt.

Op een avond tolt ze om halfelf van de slaap. Om het kwartier kijkt ze op haar horloge. Ik heb om tien uur al gezegd dat ik haar wel naar bed kan brengen, maar dat wil ze niet. Afspraak is afspraak. Ze heeft een contract met de thuiszorg afgesloten en daar hoogstpersoonlijk een handtekening onder gezet. De thuiszorg komt 's avonds, dus daar wachten we op.

'Loopt mijn horloge wel goed?' vraagt mama terwijl ze in haar ogen wrijft. Zonder morren laat ze zich door mij naar boven brengen als ik de tijd van haar horloge bevestig. Als we haar kleren uitdoen en ik haar beetpak, schrik ik van

hoe dun haar bovenarmen zijn. De toppen van mijn wijsvinger en duim raken elkaar net niet als ik met mijn hand
haar arm omvat.

Ze heeft twee verschillende kleuren sokken aan. Daar
moeten we om lachen. Mama gaat met sokken aan in bed
liggen. 'Ik heb anders zulke koude voeten.' Ze zegt het verontschuldigend. Ik pak haar voeten beet en wrijf ze warm.

'Wat heb ik toch een lieve dochter,' zegt ze. Ik draai me
om omdat ik niet wil dat ze de tranen in mijn ogen ziet. Ik
ga een kruik vullen. Boven leg ik hem tegen haar sokken.
Met de woorden 'Nou is het te heet,' trapt ze de kruik uit
bed. Ik slik.

Na middernacht hoor ik de deurbel. Ik ben in de badkamer mijn tanden aan het poetsen en vertik het open te
doen. In het zorgdossier zou waarheidsgetrouw het volgende moeten staan:

*De hele dag tussen zeven uur 's ochtends en één uur 's nachts kan
een van onze vijftig medewerkers bij u aanbellen. Open de deur zo
snel mogelijk, anders gaan ze door naar de volgende klant. Leg voor
de zekerheid een deken naast de stoel. Dan kunt u als de medewer-
ker niet komt opdagen in de stoel slapen.*

XIII

Na het ontbijt gaat ze nog even rusten en ik ga onkruid wieden. Ik speur in de immense tuin naar onkruid, maar weet bij god het verschil niet tussen een vergeet-mij-nietje en zevenblad. Het leek zo gemakkelijk. Gisterochtend tijdens het ontbijt keek mama naar buiten en zei: 'De tuin lijkt ook al nergens meer naar.' Hoeveel uren heeft ze er niet in doorgebracht. Als wij kwamen, genoot ik altijd van al het groen om me heen en de fleurige sierheesters in de borders met de bijen die eromheen zoemden. Nu ontbeert de tuin haar handen. Het gras is lang, de blaadjes van de bloemen hangen slap om de steel. De kanker heeft de tuin te pakken, de bijen hebben de laatste levenssappen aan de bloemen onttrokken en zijn elders neergestreken.

Zevenblad is slecht, dat heb ik van mijn broer gehoord. 'Als er zevenblad in de tuin groeit, ben je nog wel even bezig,' zo verzekerde hij mij aan de telefoon.

Hoe ziet die plant eruit? Zouden er zeven punten aan zitten? Ik trek maar wat gras uit. Er zitten een paar paardenbloemen tussen. Dat is goed. Paardenbloemen zijn onkruid, weet ik. Ik vind het ook wel weer zonde. Kobus houdt ervan om die pluisjes van de bloem te blazen en als het in vijf keer lukt, doet hij een wens. Nu valt er niets te blazen, laat staan te wensen. Met het weggooien van de paarden-bloem vermorzel ik opnieuw een greintje hoop.

Mijn voeten zakken weg in de kleverige löss. Het is niet te vergelijken met het beeld dat ik had toen ik het mijn moe-der voorstelde. Ik zou die tuin wel even opkalefateren. Ik heb er ineens helemaal geen zin meer in. Ik bind een roos op aan een bamboestok, trek aan nog wat groen, knip met de keukenschaar (de grote heggenschaar kon ik niet vin-den) in de heg, maai het gras zo recht mogelijk. Het lukt me niet om het mooi te krijgen. Ik geef het op.

'Het ziet er weer wat verzorgder uit,' zegt mama groot-moedig. Ze wilde beslist aan tafel eten en niet in bed, zoals ik voorstelde. Voor haar glimlach zou ik zelfs met de hand een weiland van paardenbloemen hebben ontdaan. Tevre-den leun ik achterover.

'O, waar zijn mijn dahlia's gebleven?'

'Ik heb alleen wat onkruid gewied.'

'Ze stonden daar in de hoek.' Ze wijst naar waar ik het zevenblad heb opgespoord.

'Hebben dahlia's zeven punten?'

'Laat maar,' zegt ze en ze bijt in het zevengranenbrood met oude Beemster, wat stukjes tomaat en een heel klein beetje peterselie, precies zoals ze het lekker vindt.

Op een middag komt een streng kijkende mevrouw van het Centrum voor Indicatieve Zorg mama's gezondheid inspec-teren. Voor vierentwintiguursverzorging komen alleen mensen in aanmerking die honderd procent afgekeurd zijn als lid van de samenleving, de melaatsen van de eenen-twintigste eeuw. Zenuwachtig zijn we, uit angst dat ze de indicatie niet zal afgeven. We hebben relatief goed nieuws gekregen: de artsen menen dat de tumor in mama's hoofd toch een herseninfarct zou kunnen zijn. Over het hele sarcoïdoseverhaal geen woord meer, maar godzijdank geen uitzaaiingen in de hersenen. Is ongeneselijke longkanker met slechts een uitzaaiing naar de lymfeklieren wel ernstig genoeg voor langdurige zorgverpleging?

Mama huilt nog voor de CIZ-dame haar vragen afvuurt. Tot zover gaat het goed. Wezenloos zit mama in haar stoel. Met haar hoofd gebogen wriemelt ze met haar handen aan een zakdoek waarmee ze af en toe over haar ogen wrijft. Ik loop af en aan met koffie, melk en suiker, en koekjes. Na de vraag of mama echt niet alleen naar de wc kan, laat de CIZ-dame haar blik op mij vallen en zegt: 'Kan zij niet voor u zorgen?'

Ik moet op mijn tanden bijten om het niet uit te schreeuwen. Thomas kéék alleen maar en Ronald lachte smalend toen ik het voorstelde. 'Jullie zijn bijna nooit thuis, bovendien kun je dat je kinderen niet aandoen,' zei hij.

Wat voor samenleving is dit, dat we van de verzorging van onze geliefden een inkomensvoorziening voor vreemden maken? Ik zou die vrouw het huis uit willen zetten, haar willen toeschreeuwen: Ja, laat mij haar armen insmeren met bodylotion op de manier die zij aangenaam vindt, laat mij haar toedekken, naar de wc helpen al is het midden in de nacht. Laat haar voor de tijd die ons rest tegen mij zeggen dat de thee te heet is en haar voeten zo koud.

In mijn voorhoofd zit geen raampje, zelfs geen luikje dat de CIZ-vrouw brutaal open kan schuiven. Volkomen veilig kan ik broeden op de vragen die tijdens het gesprek stiekem naar boven borrelen: waarom is het eigenlijk zo dat mijn moeder niet meer in staat is een boterham te smeren of een pak melk te pakken? Kan ze niet wat beter haar best doen? Andere mensen nemen de kanker toch ook mee naar de supermarkt? Ze drinken er een biertje op. Ze gaan naar de Seychellen, naar Zuid-Afrika of een weekendje naar Parijs. Thuis bakken ze toch op z'n minst nog een ei. Ik hoorde over de vriendin van de moeder van een vriendin, die ondanks een vergevorderd stadium van botkanker nog steeds tussen de chemokuren door bramen plukte in het bos, om er vervolgens jam van te maken. De heldenstatus bereik je door de ziekte te bevechten met een marathon, de Tour de France of een zeilreis rond de wereld.

Mijn moeder toont geen heldhaftig gedrag. Ze is een deserteur in oorlogstijd.

Blij betreed ik een paar uur later haar slaapkamer: we zijn geslaagd. De CIZ-dame geeft in elk geval voor drie maanden een indicatie af voor vierentwintiguursverzorging. Mama is er zelf ook heel trots op en wellicht is het daarom dat ze me 's avonds toelaat te praten waarover ze normaal zwijgt.

Ik spreek mijn bewondering uit voor de manier waarop ze het hier sinds papa's dood in haar eentje gerooid heeft. Hoe moeilijk het soms voor haar moet zijn geweest: de thuiskomst na een bezoek aan haar kleinkinderen en niet te kunnen delen met haar echtgenoot dat de tand van Lotta eruit was, dat Kobus zelf kon schommelen. Net zomin als ze verslag kon doen van het winkelen met de buurvrouw, de uitvoering van het koor of het gesprekje bij de bakker.

Het kopje koffie dat papa 's avonds altijd zo liefdevol voor haar neerzette, moest ze al die jaren na zijn dood zelf maken. Hoe bijzonder vind ik de oneindige trouw die ze voor papa aan de dag legde, ook toen een van papa's oud-collega's haar een aanbod deed: 'Wij zijn tenslotte beiden alleen en ik ben heus geen moeilijke eter.' De gedachte weer iemands sokken te moeten stoppen: het vervulde haar met afschuw. Ze bleef niet bij papa uit gewoonte, en ook niet uit angst alleen te zijn. Ze bleef bij papa uit liefde. Na zijn dood bleef ze maar praten over zijn goede eigenschappen: zijn charisma en zijn charme. Hoe zorgzaam hij was en hoe grappig zijn gestuntel.

Dat hij haar hoe dan ook in de steek had gelaten, stopte ze weg in een sigarendoos, samen met wat oude foto's en documenten, die verdween in een lade van de secretaire op haar slaapkamer. Hij ging op slot en niemand, inclusief zijzelf, wist na verloop van tijd meer waar de sleutel was. Na de verering kwam het zwijgen.

Vrouwen van haar yogaklas, die we tegenkwamen in de winkelstraat, stelden mijn moeder soms vragen: 'Hoe lang is uw man al dood?' gevolgd door: 'Waaraan is hij overleden?' Ze mompelde: 'Hartstilstand,' en jaren van eenzaamheid werden weggemoffeld in een wedervraag als: 'Waar hebt u die verschrikkelijk leuke jas gekocht?' In haar woorden vervatte ze zijn perfectie. In haar zwijgen bracht ze zijn misstappen om.

'Hoe is hij doodgegaan?' had ik gevraagd, die ochtend na zijn overlijden, toen ik met mama aan de afwas stond.

'Dat zei ik toch: een hartstilstand tijdens de dagelijkse wandeling langs het kanaal.'

De schaal zette ik met een klap op het aanrecht, ik smeet de afdroogdoek erin. Om controle over mijn handen te houden, pakte ik een appel van de schaal. Ik poetste hem schoon aan mijn vest en zette mijn tanden erin. Een ferme, volhardende beet.

In een paar zinnen had ze het uitgesproken. Onsamenhangend. De woorden wandeling, water en gevonden verstond ik. De rest werd in kermen gesmoord en ik toverde woorden van troost tevoorschijn, waarmee ik er op dat moment in slaagde mijn woede te beteugelen.

Mama en ik zitten dicht tegen elkaar op de vaaloranje bank. Onze handen warmen we aan de theeglazen, af en toe nemen we er een slokje uit, bijten in onze mariakaakjes. Ze staart voor zich uit en uiteindelijk heb ik genoeg moed verzameld om ernaar te vragen. Een vraag naar het waarom zonder de verwachting, de hoop dat ze me zal antwoorden. In het verleden heb ik het al zo vaak vergeefs geprobeerd.

Het geluid van haar stem overvalt me. Haar verklaring; even wil ik haar woorden in de kiem smoren, alsof ik me nu pas realiseer dat openheid ook een beeld kan breken. Een onwelkome doorkruising van mijn perceptie, waarmee ik het tot nu toe prima wist te redden in het leven.

'Misschien heeft het te maken met een gebeurtenis van lang geleden. Papa heeft je er vast weleens over verteld.' Even wacht ze. Neemt een slok van haar thee. Ze kijkt opzij. Maar ik zeg niets: ik ben ineens bang dat ook maar één woord, of zelfs maar een gebaar van mij een onthulling tegenhoudt. De openbaring van haar waarom, waarin zij de berusting vond.

'Toen je vader veertien jaar oud was, is hij van het seminarie naar huis gestuurd. De heren superieuren waren erachter gekomen dat je oma je opa op straat had gezet vanwege zijn kaartverslaving. In die tijd was het een schande als man en vrouw gescheiden leefden van tafel en bed. Je vader wilde priester worden. Dat kon toen niet meer.' Onmiddellijk nadat ze het gezegd heeft, staat ze op en pakt haar nog halfvolle glas thee. Alsof ik de zieke ben en zij de verzorgende, vraagt ze of ze mij nog bij kan schenken.

Met haar rug naar me toe op weg naar de keuken zegt ze

bijna nonchalant: 'Hypocriet trouwens: je vader moest weg terwijl die pater gewoon kon blijven...' Ze verdwijnt achter de deur en mijn oog valt op een gigantisch spinnenweb in de hoek van de kamer. Over het seminarie heeft papa me weleens verteld, maar niet over een pater. Ik probeer de laatste woorden van mijn moeder te duiden terwijl ik een stoel verschuif naar de hoek onder het spinnenweb. Mijn moeder is panisch voor spinnen en al helemaal nu: ze zal er een bewijs in vinden dat haar huis niet schoon is. Ze zal zich zorgen maken over het feit dat zij het niet meer bij kan houden, dat niet alleen zij maar het hele huis verslonst. Aan mopperen moet ze nu haar energie niet besteden. Ik schuif een stoel naar de hoek van de kamer en ga erop staan. Met mijn arm maai ik door het web; de draden die vervolgens als een slijmerige substantie aan het plafond hangen, pluk ik met mijn vingers weg. De spin valt in de radiator naast de stoel. Nog voor mijn moeder uit de keuken komt met twee volle glazen thee, stap ik van de stoel. Snel stop ik de plakkerige draden in de zak van mijn spijkerbroek.

Enigszins onbeholpen loopt ze, zoekt met haar rug steun bij de muur met de volle, dampende glazen in beide handen. Als ze ze heeft neergezet, streelt ze mijn hand en zegt: 'Marieke, geloof me, aan mijn verklaring heb je niets. Antwoorden zijn er niet. Met elk antwoord zullen andere vragen opkomen. Probeer het niet te omvatten, maar leg je erbij neer, voor mij is dat uiteindelijk ook de enige weg geweest.' Daarna schuift mama rusteloos over de bank, vraagt waarom de stoel ineens in de hoek staat.

'Ik mis hem,' zegt ze na een ongemakkelijke stilte. Ze klopt haar kussen achter zich op, zet het glas thee aan haar lippen, haalt het weer weg. 'We hadden een goed huwelijk.

117

Een goed huwelijk is vergeven en opnieuw beginnen.' Ik vraag me af of ik het zou kunnen, volharden in liefde: zo onvoorwaardelijk en onbaatzuchtig blijven houden van iemand die voornamelijk vol is van zijn eigen onvermogen.

Als ik haar vraag naar haar gedachten destijds in het ziekenhuis, toen ze toch leek te breken en zei dat hij haar in de steek had gelaten, praat ze eindelijk over het meisje. De tweede vrouw die niet alleen zijn leven, maar, zo zegt ze schamper, ook dat van Ronald, mij en haarzelf overhoophaalde. 's Nachts droom ik haar woorden in mijn werkelijkheid.

■

In het klaslokaal loopt ze naar hem toe. Zijn nimf draagt een bordeauxrood angoratruitje en heeft het haar in een paardenstaart. Hij rommelt wat met zijn papieren; het krijt dat hij nog steeds in zijn vingers houdt, brokkelt af omdat hij erin knijpt. Het zweet staat op zijn voorhoofd. 'Een prachtige vertaling van Seneca was dat.' Ze strooit haar woorden als een invitatie over hem uit, klinkt serieus, bijna superieur. Heel zijn leven raakte nooit een zin hem meer dan deze. Dit moment moet hij grijpen om haar de vraag te stellen, maar hij vindt de woorden niet.

'Wilt u misschien eens met mij wandelen?' Achteloos en onbezorgd stelt zij zijn vraag. Alsof het de normaalste zaak van de wereld is, alsof je je buurjongen vraagt of je eens mee mag achter op zijn Puch. Ouder dan zijn dochter is ze maar oneindig veel jonger dan hij. Het precaire van hun rollen. Hij de leraar en zij de leerling. Er is iets in haar ogen dat hem treft, die allereerste dag. Het is herkenning. Herkenning om vervreemding van de wereld zoals die lang geleden was ingezet.

Ja, zegt hij. Ja, ik wil eens met je wandelen. Maar nu nog niet, want ik moet naar huis. Verward stapt hij in zijn auto en 's nachts in bed maalt en maalt het. Een volgende keer gaat hij wel met haar wandelen en zo begint het tussen het meisje en de leraar.

XIV

In de Kersenlaan verheffen de witte berkenbasten zich ter hoogte van de daken. Tussen de takken met bladeren lijken de rode dakpannen te dansen in de wind. Het bord *Te koop* licht op door zonnestralen die precies in de voortuin van het huis vallen. Mijn hart gaat sneller kloppen. De roodbonte straatstenen liggen in visgraatvorm. Er zitten een paar kinderen met een ijsje in de hand op de stoeprand. Smoezelig, maar welgesteld zien ze eruit met zand op hun broeken en sweaters van een duur merk. Een geel springtouw aan een ouderwetse lantaarnpaal gebonden verraadt hun zojuist onderbroken spel. De was hangt als een slinger over het balkonnetje van het huis rechts. Alles wasemt nostalgische vriendelijkheid uit. Nog voor ik een stap over de drempel van nummer vijf heb gedaan, zet ik mijn zinnen op het huis. Het behoort mij toe. Hier zullen mijn kinderen een veilig nest vinden en zich uiteindelijk opmaken voor het vertrek onder Thomas en mijn vleugels vandaan.

Vanochtend hebben Ronald en ik mama opgehaald uit huize Het Beukenhof, een verzorgingstehuis, met vrolijke oranje zonneschermen die ook in de regen openblijven, om zo de grijze muren te bedekken. Een kwartier hadden we nodig om haar nieuwe woonruimte van vijf bij vijf in te richten. Dat de stoel van mama er eerst niet in paste, kwam vooral door het enorme bed midden in de kamer. De grote tafel zetten we in de gang, en zo lukte het toch een gezellig plekje te maken, met fotoboeken, een koektrommel en een vaas met pioenrozen en gerbera's op het bijzettafeltje. De rest van de spullen die we uit haar huis in Limburg in Ronalds auto hadden gestouwd, verdeelden we maar over onze eigen huizen. Ronald vergeleek mama's nieuwe stek met een hotelkamer. Een plek op doorreis waar je enkel en alleen verpoost om te slapen.

Mama slaapt tegenwoordig bijna de hele dag. De tijd die rest vult ze met dassen en mutsen breien voor de kleinkinderen, af en toe wat tv-kijken en in de smalle gang op en neer lopen als een tijger in zijn kooi. De lift is altijd bezet of kapot. Als ze alleen is, blijft ze op haar afdeling op de zevende verdieping. Via de brandgang de smalle ijzeren trappen afdalen, durft ze niet. Bang om haar benen te breken of aan een hartaanval te bezwijken.

Wat waren we meneer Hafelte dankbaar toen hij belde dat er binnenkort een plekje zou vrijkomen op de ziekenboeg van zijn verzorgingstehuis. Onze held, de enige die de moeite had genomen naar ons verhaal te luisteren. De enige die ons niet door de telefoon had uitgelachen. Maar een paar weken later lieten we potten doperwtjes en appelmoes door onze handen glijden, beslisten of de blikken met een houdbaarheidsdatum die over enkele maanden zou verstrijken wel of niet in mama's voorraadkasten konden blijven staan. Moest ze haar wandelschoenen meenemen? En welke kleding had ze nodig en vooral: hoeveel van alles? Meer pyjama's dan broeken? Er is een laatste foto van haar voor de deur van het Limburgse huis. Hoe ze daarop kijkt; alsof ze zelf niet gelooft dat ze nog terug zal komen.

Zo vaak we kunnen bezoeken Ronald en ik haar. Maar de schuldgevoelens raken we niet kwijt. Buiten wat vriendinnen en familie komen er niet zoveel mensen. Het netwerk dat ze na papa's dood heeft opgebouwd, is niet zo groot en bevindt zich bovendien in haar oude woonplaats, meer dan tweehonderd kilometer verderop. Eenzaam is ze. De helpenden in het tehuis zetten drie keer per dag een bord eten op het tafeltje in de gang, om zich direct weer uit de voeten te maken. Een kankerpatiënt in een verzorgingstehuis; wat moeten ze daar nou mee? Er is een alarmknop. 'U hoeft maar te drukken of er komt iemand,' verzekerde Hafelte haar bij zijn warme welkom. Hij vergat erbij te zeggen dat de verpleegkundigen in de linkervleugel op de begane grond zitten. Zelfs als ze meteen komen, duurt het een kwartier, mits de lift werkt.

Het eten houdt niet over. Het is flauw, zout- en groenteloos. Op de lijst aan de muur op de gang verhogen we het aantal boterhammen dat ze dagelijks wil eten naar zes. Ze heeft ook daarna nog honger.

We kopen bessen, wortelsap en meergranenbrood voor haar, halen Beemster bij het kaasboertje tegenover het tehuis. Wat hebben we gedaan? Wat doen we haar aan?

Bij dokter Grossart, de nieuwe behandelend arts, komt de volgende ontgoocheling. De tumor is gegroeid. Dat kan hij zien op alle nieuwe foto's, scans en puncties die ze hebben uitgevoerd. Mama's armen slaan blauw uit van het vele prikken naast de ader. De bloedwaarden zijn voortdurend te laag. We hadden stiekeme hoop. Met onze koppen in het zand dachten wij met haar verhuizing de tumor en alle kwade cellen ergens langs de snelweg te hebben geloosd. Mama zag er immers best weer redelijk uit. We hebben met de hele familie zelfs nog even langs het strand gewandeld. Weliswaar moesten Thomas en Ronald mama die vijfhonderd meter terug naar de auto dragen, maar toch, gewandeld hebben we.

Niet moeilijk doen nu, denk ik daarom als het ziekenhuis, ondanks de 'oitstekiende euverdraagt', alles opnieuw wil testen. Mama's arts is een Fransman, die tijdens het kennismakingsgesprek met Ronald honderduit vertelt over de prachtige Loire-streek waar Hélène en Grossart beiden zijn opgegroeid. Ondertussen stel ik me voor dat Grossart ons straks nog gaat melden dat die grotere tumor niets is om ons zorgen over te maken, dat ze toch sarcoïdose heeft.

'Ies palliatieve,' leidt de Franse arts de door hem voorgestelde chemokuur in. Mijn hoop wordt weggeblazen. Chemotherapie als verzachtend middel. Het gif van de chemo zal een stukje van de pijn wegnemen maar dat is dan ook meteen de enige chemie die de chemo te bieden heeft. Verder gaat het over misselijkheid, haaruitval, allergische reacties en vermoeidheid. Voor de blauwe plekken op haar arm heeft Grossart nog wel een oplossing: het plaatsen van een port-a-cath, een inwendig kastje waar de Gemcitabine-kuur via een slangetje zo haar lichaam in kan druppelen. Makkelijk zat. Dat plaatsen is een kleine ingreep. We moeten maar meteen even naar de poli chirurgie lopen om een afspraak te maken.

'Er zijn risico's aan verbonden,' vertelt de arts-assistent ons aldaar. De ingreep blijkt niet zo simpel te zijn als Grossart ons heeft doen geloven. Als Ronalds telefoon gaat, schrijft een receptioniste net een laatste afspraak op voor een van de zes onderzoeken voorafgaand aan de operatie.

Ik beloof onmiddellijk naar het huis in de Kersenlaan te komen. Thomas komt er zojuist vandaan. Omdat mijn mobiel uitstaat, heeft Thomas het nummer van mijn broer gebeld. Zijn lunchpauze is voorbij, dus hij moet terug naar zijn werk, maar de makelaar is zo aardig nog wel een kwartier te willen wachten. Het huis dat nu al maanden op Funda staat, in slechte staat, maar in de juiste buurt, moet per se door mij worden bezocht.

Ronald heeft nog een uur voor zijn volgende klant, dus als mama het nog trekt, dan rijdt hij ons er wel even langs.

Als het inparkeren niet in één keer lukt, besluit Ronald bij voorbaat dat dit huis de bezichtiging niet waard is. 'Wat moet je zonder oprit?' De staat van de kozijnen is een ander punt van zorg, dat door mama wordt gedeeld. Moe maar vastbesloten haar dochter van goede raad te voorzien, stapt ze uit de auto. Zelf vind ik dat van de buitenkant het huis er best mee door kan.

Over het idee van Thomas en mij om een huis te kopen, was mama verrukt. Als huiseigenaar toon je volwassenheid. Huren is voor studenten of voor mensen die niet voor zichzelf kunnen zorgen: kinderen die van hun ouders niet hebben geleerd op eigen benen te staan.

De makelaar lijkt zelf nog een kind. Hij draagt weliswaar een pak van een gerenommeerd modehuis, maar het oranje jasje is twee maten te groot en hangt als een cape om zijn schouders. 'Goudvis,' stelt de makelaar zich doodernstig voor, terwijl onze blikken van zijn oranje pak naar de witte huid, het asblonde haar en de eigenaardig rode, getuite lippen gaan. 'Stekelbaars,' reageert Ronald met een uitgestreken gezicht. Mama en ik moeten moeite doen niet in lachen uit te barsten, maar Ronald houdt bij de rondleiding verder commentaar voor zich. Alleen als Goudvis zich even terugtrekt voor een belangrijk telefoontje, merkt hij op dat we met deze stagiair in dit krot onze tijd verdoen.

Dapper praat Goudvis vijf minuten later weer door over de robuustheid van de enorme uit grijze bakstenen opgetrokken open haard. De geschilderde anjertjes op de donkerbruine keukenkastjes zijn 'authentieke elementen'. En het grote grasgroene vloerkleed met brandgaten is 'wellicht nog bruikbaar in de kinderkamer'. Zelfs voor de houten schrootjes en heraklietplaten met donkerbruine balken die tegen de wanden en het plafond in de woonkamer zijn getimmerd, heeft Goudvis een vriendelijk woord. Een 'gezellig skihuteffect', murmelt hij.

Bij die laatste opmerking kijkt hij mijn moeder aan. Zij heeft de regie, zo heeft Goudvis bepaald. Voor het eerst sinds haar ziekte is ze geen patiënt. Ze bezichtigt een huis en levert commentaar, voor de makelaar slechts de zoveelste lastige klant. Ik geniet van zijn onbevooroordeelde houding. Bijna verheugd voel ik oude wrevel de kop opsteken bij haar opmerkingen. Voor ze ziek werd kon ze nogal zeuren. Vooral over piloten die uitkienden hoe ze precies boven haar tuin de landing op het nabijgelegen vliegveld in konden zetten. Oneerlijk was het dat zij als enige in haar straat niet in aanmerking kwam voor schadevergoeding. Na de piloten volgde dan steevast haar andere stokpaardje. De rijken der aarde; oplichters, fraudeurs die met hun jaarsalaris van minstens twee ton en een huis van een miljoen hypotheekrenteaftrek kregen.

Als ik mijn moeder en de makelaar voortdurend tegen elkaar in hoor gaan, is het alsof ik luister naar een atonaal strijkkwartet van Schönberg. Wat volgens de makelaar 'inbouwkasten' zijn, noemt mama plankjes die uit elkaar vallen van ellende en waar je nog geen kamerjas in kan ophangen. De badkamer is volgens Goudvis 'een nette badkamer, hoewel enigszins gedateerd', terwijl mama de roze badmeubels eigenhandig bij de vuilstort wil afleveren. Als Goudvis zegt dat de cv-ketel, hoewel niet het nieuwste model, met gemak nog vijf jaar mee kan, wijst mama hem erop dat de ketel zo oud is dat hij niet eens HR voor zijn naam heeft staan, en bij de 'reuze romantische' openslaande deuren naar het balkon ontdekt zij dat het sluitsysteem verkeerd om draait, waardoor je de deur nooit echt open kan zetten. Af en toe hoest ze even. Ademt ze niet heel zwaar bij het beklimmen van de trap?

Op zolder struikelt Goudvis over een groot stuk hout met wat staal. Eerst probeert hij het nog met: 'Een nog goed te repareren keukenblok,' maar dan laat hij eveneens zijn optimisme varen. Hij haalt zijn schouders op en zegt plotseling verlegen: 'Tja, als u hier niet zo van houdt, kunt u het natuurlijk aanpassen aan de eisen van deze tijd. Ik weet nog wel een aannemer die een beraming voor u kan maken van wat een verbouwing zou kosten.'

Wat de makelaar zegt, wat Ronald ervan vindt, zelfs de mening van mijn moeder doet er niet meer toe. Blind van verliefdheid ben ik. Ik kan niet wachten de opluchting die ik voel te delen met Thomas. We hoeven niet verder te zoeken, dit is wat we wilden, of liever gezegd: dit wordt wat we willen. Ingewikkeld natuurlijk, hoe we dat moeten organiseren en combineren met het bijstaan van mijn moeder. Bovendien gaat het maanden werk en bakken vol geld kosten om hier iets van te maken. Het is ronduit idioot om aan zo'n megaproject te beginnen als je een doodzieke moeder hebt. Maar tegelijkertijd zie ik het ook als een baken op een woelige zee. Iets waar ik me aan vast kan klampen terwijl de aarde onder mijn voeten verdwijnt. Ik hol met mijn rug naar het verleden de toekomst in. Een toekomst die helderder wordt met elke deur die de makelaar voor ons opent.

Eenmaal weer buiten lijkt Goudvis zich geen illusies te willen maken. We moeten er nog maar even over nadenken. Hij durft mama niet eens aan te kijken als hij haar de hand schudt. 'Een week handje,' zegt mama later misprijzend. Een sterke handdruk moesten wij van haar als kinderen al geven. Dat hoorde bij de opvoeding, net als schouders recht houden en met twee woorden spreken.

Ze is toch moe geworden van de bezichtiging. Sterker nog; ze is kapot als ze zich met een zucht van verlichting op de autostoel laat vallen. Ronald rijdt ons naar het verzorgingstehuis. Hij zegt niets, net zoals hij in het huis niets heeft gezegd. De afwijzing stond al die tijd op zijn gezicht te lezen.

Het was positief bedoeld, legt mama tijdens de rit uit. Haar geklaag had volgens haar een functie: de prijs zou erdoor zakken. Zij zag heus wel dat het huis potentie had, dat het bij Thomas en mij paste. Ik knuffel haar vanaf de achterbank. In de weerspiegeling van de voorruit zie ik haar mondhoeken naar boven kruipen tot in de ingevallen wangen.

Bij de parkeerplaats van Het Beukenhof moeten we een rolstoel halen om haar naar de kamer te rijden, de lift komt godzijdank na tien minuten. Ronald werpt me tijdens het duwen een verwijtende blik toe.

XV

'Missie voltooid,' zeg ik lachend als ik Thomas 's avonds zie. 'Dit wordt ons nieuwe huis.' Een paar dagen later betreden we voor het eerst samen de woning. De makelaar heeft zijn vriend de aannemer gestuurd, die zich vrolijk lachend voorstelt als Pierre Lagerwey senior. Het schatten van verbouwingskosten lijkt zijn favoriete tijdverdrijf; mijn god, wat is die vent goedgeluimd. Zijn rode broek, roze poloshirt en groen-geel gestreepte golfpet symboliseren de kleur die hij aan het leven geeft. Zijn enthousiasme levert ons meer inspiratie op dan we ons hoogstwaarschijnlijk kunnen veroorloven, maar wat maakt het uit voor zo'n eerste oriëntatie? Hij loopt bij elke ruimte die we betreden direct naar het raam, kijkt naar buiten en verkondigt in steeds andere bewoordingen dat dit huis werkelijk op een A-locatie ligt.

Over de binnenkant van het huis heeft de aannemer allerlei geweldige ideeën. De kamers van de meiden kunnen het beste op zolder gebouwd worden, meent hij, en dan een tweede badkamer daar, want dat is handig en het vermeerdert de waarde van je huis. Natuurlijk moeten al die schrootjes tegen de wanden eruit, net als de roze badkamer en de houten jarenzeventigkeuken. De woonkamer is wel erg klein; een uitbouw is aan te raden. 'The sky is the limit,' zegt Lagerwey op zijn beste Brits, terwijl hij aan zijn tiende notitieblaadje begint. Verder peurt hij met een sleutel in de kozijnen, hij springt op de vloer in de gang, duwt een beetje met een roede die hij vindt in een hoek van de kamer tegen het plafond. Voor de stoppenkast met drie elektragroepen haalt hij zijn schouders op. Dat aantal moet toch zeker verdubbeld worden.

Eenmaal buiten zegt hij eerst minutenlang niets. Met een potlood tikt hij alle punten in het notitieboekje aan. Hij kauwt op een poot van zijn Cartier-zonnebril en wrijft met die poot vervolgens het borsthaar dat boven zijn polo shirt uit komt in met speeksel. Als hij na een ferme handdruk naar zijn auto loopt, zie ik de golfclubs achterin liggen.

Tachtigduizend euro. Dat is wat de verbouwing ons gaat kosten. 'En geen cent meer als jullie met ons in zee gaan.' Het familiebedrijf kan zo goedkoop offreren omdat het hoofdkantoor ergens in een Frans dorp in de bergen verstopt zit. Dat is handig met belastingen en zo. Bovendien heeft het bedrijf lage loonkosten. 'Uitstekende vaklui, die Tsjechen, en toch goedkoop,' roept Lagerwey ons nog toe vanuit het openstaande raam van zijn Jeep. De uitgebreide offerte zal zo snel mogelijk volgen maar zeker is dat wij met minder dan een ton van het huis ons paleisje kunnen maken.

's Nachts lig ik voor het eerst niet te piekeren. Samen met Thomas broed ik op het eerste bod dat we moeten gaan uitbrengen om zo voordelig mogelijk eigenaar te worden van het huis. Trots zijn we beiden op de manier waarop we het aanpakken. Omdat we weten hoeveel de verbouwing gaat kosten, kunnen we ons bod scherpstellen op het hypotheekbedrag, zonder al te veel risico te nemen. Voor het gemak vergeten we dat de verkopend makelaar ons met de aannemer in contact heeft gebracht. We bedrijven de liefde, voor het eerst in lange tijd vinden we elkaar, in het vooruitzicht op ons leven samen in dat huis.

Thomas bezoekt het makelaarskantoor om ons bod te deponeren. Hij zet mij af bij Het Beukenhof. Een klein halfuur heb ik, we moeten om zes uur bij de kinderopvang zijn. Als we de kinderen nog één keer te laat ophalen, komen we op de zwarte lijst. Een lijst van nalatige ouders. Die moeten op het matje komen bij de manager. In een 'waarschuwingsgesprek' volgt een reprimande in de trant van: nog één keer te laat resulteert in onmiddellijke verwijdering.

Terwijl ik door de lange gangen loop en tussen de vitrages door gluur naar de kamers van andere bewoners, verfoei ik het begrip 'tijd'. Niet vanwege de bejaarden die vanachter hun bewegende televisiescherm, hun kruiswoordpuzzel of tijdschrift de eenzaamheid symboliseren; noch vanwege de mannen en vrouwen die hier misschien al jaren wonen en die in levensverwachting mijn moeder massaal voorbij sprinten, en ook niet vanwege de kanten kleedjes, bloemengordijntjes en pendules. Waar ik zo tergend naar verlang is het vermogen met de tijd te spelen. Bij mijn moeder de tijd stopzetten zodat ik hem met mijn tijd kan inhalen. Dat we, al is het maar heel even, stadsgenoten kunnen zijn.

In de lift hangt een poster van een piano-hoboconcert dat zal plaatsvinden in de recreatieruimte van het tehuis. Als een schreeuw om water in de woestijn komt de aankondiging op me af. Dat moet toch te doen zijn voor haar? Ze hoeft alleen maar naar beneden, met een beetje geluk komt de lift dán wel snel, en heeft ze een leuke middag.

De deur van mama's kamer staat op een kier. Ik aarzel, dit is niet thuis, ik ben hier vreemd. Moet ik eerst kloppen? Mama die zich achter de deur bevindt, is iemand bij wie ik op bezoek ga, niet degene bij wie ik thuiskom.

Ze zit in haar stoel in het hoekje een kaart te schrijven. Volg mij, schreeuw ik inwendig. Kom mee naar het strand voor een flinke wandeling, je voeten in laarzen gestoken. We gaan pannenkoeken eten en je strijkt Kobus over zijn rode wangen, geeft Lotta en Frederikke beiden een hand.

'Oh, wat een mooie bos bloemen,' zeg ik en knal als ik naar mijn moeder loop tegen het bed. Ik zoen haar. Haar wangen zijn warm, alsof ze koorts heeft. Ze vraagt naar de tweede bezichtiging en lacht om mijn beschrijving van de aannemer. Haar vrolijkheid is aanstekelijk. Ze leeft mee, ondanks haar twijfels over het huis.

Ik blader wat in de fotoboeken die naast de tafel op de grond liggen. Er is ook een boek bij dat ik niet ken, althans, ik kan me niet herinneren dat ik er ooit in heb gekeken. Op de eerste pagina's zwart-witfoto's. Jongens en meisjes, tieners nog. Aan de hand van de zorgvuldig onder elkaar geplakte klassenfoto's kan je de mode door de jaren heen op de voet volgen. Bij elke foto staat het jaartal, en met pijltjes van de foto naar het papier een bijschrift over enkele leerlingen. Bastiaan: 'betweter', Monica: 'scherp' en Cowilka: 'lolbroek', lees ik zo op de tweede pagina. Het gaat verder in kleur; jaren zeventig, tachtig en negentig. Steeds weer zijn gezicht; onmiskenbaar gelukkig. Stralend middelpunt, als een idool te midden van een schare fans.

Toen papa net dood was, heb ik gezocht naar wat ik nu in handen heb. Foto's waarop hij stond. Mijn zoektocht bracht niets op, want onze vakantiealbums toonden foto's van Ronald, mama en mij, door mijn vader genomen. De waarnemer op afstand. Mijn eerste loop-, fiets-, zwempogingen; allemaal vastgelegd, en op de foto's geen vader te bekennen. Het enige wat ik na lang zoeken vond, was een stukje mouw van een wit overhemd met daaraan een in het niets reikende hand. Herkenbaar als die van mijn vader aan de trouwring, de zwarte haartjes op de vingers, de weifeling van het gebaar. En nog een foto van papa op de rug gezien terwijl hij mij de lucht in tilt. De enige foto die onze bloedband enigszins bekrachtigt en die ik na zijn dood maandenlang als een trofee op mijn nachtkastje had staan.

Op enkele klassenfoto's van eind jaren zeventig staan wederom pijlen bij leerlingen. 'Intelligent', 'stom varken', 'viel flauw tijdens het vertalen van Catullus'. Eén naam zonder bijschrift valt me op. Josephine staat er, verder niets.

De Rome-reizen tonen vergeeld en gekreukt geluk. Er zijn veel foto's van hem waarbij hij met een sigaret tussen zijn vingers en een lach op zijn gezicht staat te declameren; aan de Via Appia bijvoorbeeld, of in het Forum Romanum en op de Spaanse trappen. Foto's van schoolcabarets volgen, met hem als de grote performer, op muziekavonden waar hij Schubert ten gehore brengt – in een mand aan een katrol, wat een luchtballon moest voorstellen – tijdens de generale repetities van het toneelstuk *Icarus* en een jaar later, zonder mand, van *Antigone*.

Schoolfeesten met de tafels in de aula volledig bedekt met bierflesjes. Sigarettenrook zet alles en iedereen op de foto in de mist. Een leerlinge met een fles cognac aan de mond tijdens een gala op school terwijl mijn vader er met een dikke sigaar in de hand quasi-verontwaardigd naar wijst.

Waar is mama? Waar zijn wij, Ronald en ik, zijn kinderen, in al die euforie? Een paar pagina's verderop lost de mist van de sigarettenrook op in roze, geel en lichtblauw: de kleuren van zijn nieuwe, rookvrije werkplek.

Als ik me omdraai, is mama met haar mond open zittend in bed in slaap gevallen. Ik trek de kussenpunten omlaag, zodat haar nek en kin weer in elkaars verlengde liggen. Ik sla het laken over haar frêle schouders, leg het boek *De ontdekking van de liefde*, opengeslagen op pagina zes, op het nachtkastje, druk een kus op haar wang en trek de deur achter me dicht.

Thomas staat op de parkeerplaats op me te wachten in uitgelaten stemming omdat hij zich al huizenbezitter waant. We zijn om twee minuten voor zes bij de kinderopvang en gaan om ons bod te vieren en het feit dat we op tijd waren bij de kinderopvang, patat halen bij de snackbar.

Lagerwey Constructions b.v. staat er in wijnrode letters op de envelop die na lang wachten op de mat ligt. We komen thuis van een verjaardag van vrienden. De kinderen, die de hele dag in het bos achter het huis hebben gespeeld, zijn op de achterbank in slaap gevallen. Thomas tilt ze een voor een naar boven terwijl ik koffie ga zetten.

Een staatslot checken op een eventueel gewonnen prijs, zo voelt het als Thomas de envelop opent terwijl ik naast hem neerplof. Automatisch begin ik de genoemde bedragen onder aan elke pagina van de offerte bij elkaar op te tellen.

Vijfduizend voor sloop, tienduizend voor centrale verwarming en warmwatervoorziening. Stuken, opbouw van wanden, kozijnen en plafonds, aanbrengen van dubbel glas; alles ver in de duizenden euro's. Naarmate de pagina's verder door onze vingers glijden, krijg ik meer en meer het gevoel dat we een bod hebben gedaan op louter een skelet van een huis. Mijn god, wat moet daar veel gebeuren. De offerte eindigt met de stelposten waarvan de prijzen onbekend zijn: badkamers, keuken en eventuele uitbouw, met daaronder het totaalbedrag. Ik kijk nog een keer, maar het staat er echt. Naast mij hoor ik een kreet van verontwaardiging. 'Hij heeft zijn zoon laten tekenen, die lafaard.'

Pierre Lagerwey junior staat eronder gedrukt. Terwijl Thomas' woede zich fixeert op de naam op het papier kan ik mijn ogen niet afhouden van het bedrag dat daarboven staat. Honderdzeventigduizend euro is de som van de verbouwing. Meer dan het dubbele van wat pa Lagerwey ons daar buiten op straat nonchalant liet doen geloven en waar we ons bod op hebben gebaseerd. Een bod dat trouwens de dag erna al afgewezen werd, omdat het bij lange na niet in de buurt kwam van het bedrag dat de verkopers in gedachten hadden. Het tweede hebben we meteen daarna ingediend. Ruim dertigduizend hoger; de verkopers moesten ons immers wel serieus blijven nemen. Gelukkig zijn Thomas en ik het met elkaar eens. We hebben in gelijke mate onze zinnen op het huis gezet. En we zijn bereid daarvoor heel ver te gaan.

XVI

Geerlings of Eurlings, Dols en Smeets heetten ze, en dan de Franse varianten: De la Bretonière of natuurlijk de naam van papa's vroegere hospita: De la Rosette, waar inwoners van onze vorige woonplaats namen droegen als Klein-Breteler, Korthals-Altes en Von Leeuwensont.

We wisten pas dat we Hollanders waren toen we in Limburg kwamen wonen.

De mensen daar spraken een raar taaltje. Ze noemden een veter 'riesjtartel' en vroegen ons verbaasd 'kint geer neet plat kalle?' Alsof Limburg het universum was en het ABN een taal van een ander land. Ze combineerden zwart met bruin, droegen hun overhemd in een corduroy broek en de meisjes hadden belachelijk grote oorbellen in. Op weg naar school was het niet meer de wind over de uitgestrekte bollenvelden, met het kilometerslange fietspad daartussen, die ons over de sturen van onze fietsen stuwde en ons liet trappen als bezetenen. Nu speelden de glooiende hellingen met hier en daar een heuse beklimming ons parten.

Ronald en ik kregen allebei een spiksplinternieuwe fiets met drie versnellingen, we gingen naar Bobbejaanland en we mochten een nieuw bed uitzoeken, maar verder tuimelden we van de ene desillusie in de andere.

Ons oude huis werd uiteindelijk toch verkocht, een ton onder de eerste vraagprijs. De verhuizing was een diepe val op de financiële ladder. Niet alleen vanwege het verlies op de woning, maar ook omdat het mama de eerste jaren niet lukte haar vroegere werkzaamheden voort te zetten in Limburg. Geen basisschool wilde haar hebben. Ze struinde in de tijd dat wij op school zaten alle dorpen en steden in de wijde omtrek af om 's middags teleurgesteld huiswaarts te keren. Vijf jaar na haar operatie werd ze officieel kankervrij verklaard, maar zowel voorheen als daarna leek haar maatschappelijke rol uitgespeeld. Meer en meer veranderde ze in een huissloof.

Vroeger leek het haar niet te deren als wij met modderschoenen de keuken betraden. Nu kregen we van haar een veeg uit de pan. Als ik met mijn vriendin had afgesproken, wist ik dat mijn moeder teleurgesteld achter een dampende theepot zat. Pas jaren later, mijn broer en ik woonden toen al niet meer thuis, kon mama via een herscholingscursus hatha- en zwangerschapsyoga weer als docent aan de slag en daarmee liet ze ook wat van haar bitterheid varen.

Voor mij geen vriendinnetjes meer met zeilboten, Spargo op een schoolfeest, geen kinderfeestjes in Duinrell. Maar vergeleken met Ronald verliep mijn inwijding in den vreemde nog soepeltjes. Mijn beste vriendin was het meisje naast wie ik in de klas kwam te zitten. Ik kon haar vaak nauwelijks verstaan, maar we vonden elkaar in onze gezamenlijke hobby: lezen. Na school gingen we boeken lenen bij de bibliotheek en kochten elk een Mars bij de sigarenboer. In het park onder een boom aan de vijver lazen we de boeketreeks, die we afwisselden met streekromans, tot het etenstijd was. Op zondag gingen we toeren met haar ouders. Urenlang zaten we op de achterbank van hun Nissan Micra door de ruitjes te kijken naar het palet van kleuren dat zich voor ons in het heuvellandschap voltrok.

Ronald daarentegen leek met de verhuizing en de economische crisis die zich vanuit het hele land in onze woonkamer samenbalde, niet uit de voeten te kunnen. Feitelijk was hij nog een kind en toch leek hij de blaam voor het financiële debacle met zich mee te torsen. Op school blonk hij nog steeds uit, terwijl ik het niveau van middelmatigheid met moeite bijhield. Vrienden maakte hij niet, meer en meer sloot hij zich op in zijn zolderkamer. 's Nachts werd ik soms wakker van zijn angstschreeuwen, maar overdag zweeg hij, zoals wij in dit gezin gewoon waren te zwijgen over iets wat niet fijn was maar voor de buitenwereld onzichtbaar.

Papa leek gaandeweg de jaren terug te zakken in somberheid, net als in het jaar van zijn opname. In de begintijd was zijn afwezigheid een geruststelling, druk als hij was met zijn werkzaamheden op school en op de schaakclub, waar hij als voorzitter actief lid van was geworden. Alle buren waren net als in de oude woonplaats onmiddellijk onder de indruk van zijn charmante, intellectuele voorkomen. Ze spraken hem aan met 'professor' en de mannen hielpen hem in al zijn onhandigheid graag met huis-tuin-en-keukenklusjes. De bakker op de hoek gaf hem gratis een van zijn favoriete broodjes mee, de sigarenboer waar hij zijn Willem II-doosjes kocht, gaf hem lolly's voor de kinderen, ondanks dat hij wel moest weten dat we al middelbare scholieren waren. Waar we ook kwamen, altijd werd hij door leerlingen of collega's vriendelijk gegroet en soms lukte het hun zelfs hem staande te houden en verslag te doen van iets waarvan ze dachten dat het zijn belangstelling had. Ze vervolgden dan met een trotse lach op het gezicht hun weg. Mijn vader zei nooit iets, maar een knikje of wat gebrom van zijn kant was genoeg.

Op een avond kon ik niet slapen – het wiskundeproefwerk over de stelling van Thales bleef in mijn hoofd zitten – en ik liep de woonkamer in voor een glas warme melk. Automatisch reikte mijn hand naar het lichtknopje en vanuit mijn linkerooghoek zag ik iets bewegen. Ik schrok me lam. Het was mijn vader. Hij zat onderuitgezakt in zijn stoel in het donker. 'Ik ben niet lekker,' zei hij. Hij keek heel raar uit zijn ogen. Op mijn hoede sloop ik de keuken in. Mijn vurigste wens was dat als ik er weer uit kwam, alles weer normaal zou zijn. Dat papa rechtop zou zitten met een *cogito ergo sum*-blik die nog altijd vertwijfeling uit zou drukken, maar niet meer dat destructieve. Ik maakte warme melk voor ons beiden en toen ik vanuit de keuken de woonkamer betrad, zat hij er net als voorheen. Ik wilde hem het glas geven, maar hij kon het niet vasthouden. Zijn vingers trilden te erg. Daarom hield ik het in mijn handen en bracht ik het voorzichtig naar zijn mond en zo gaf ik hem melk, als gaf ik hem de borst. Als was ik de moeder, als was hij mijn kind.

Mijn blik viel op de tafel, waar een A4'tje lag. Gretig lazen mijn ogen de regels waarin ik zijn handschrift herkende. Werk; papa kon niet slapen vanwege het vele werk: dat was de verklaring waar ik naar zocht. Tussendoor had hij even het licht uitgedaan; heel gewoon, niets aan de hand. Met zijn rechterarm schoof hij, misschien per ongeluk, het boek dat ernaast lag over de brief. Hij was een brief aan het schrijven die begon met *Liefste* ... Een naam met in elk geval een *o*, en een *p* volgde, het boek bedekte de rest. Een Latijnse titel die ik niet begreep. Dochter van een classicus, maar te dom voor Latijn en Grieks. De schoolpsycholoog had in relatie tot mijn andere cognitieve vermogens, een gebrek aan analytisch vermogen bij mij geconstateerd, maar ik leek hem een verzorgend type. Maatschappelijk werkster was wel een beroep voor mij en dan was de havo in elk geval goed genoeg. Mijn vader had toentertijd met hem ingestemd.

De brief was een liefdesverklaring. Ik las woorden en verbond ze tot zinnen terwijl mijn ogen over de regels vlogen ... *ik streelde... tepels... willig speelgoed in mijn hand... dicht tegen mijn naaktheid aan...* De tekst brandde op mijn netvlies, ik verzette me inwendig tegen de breuk van het beeld dat ik van mijn vader had, tegen beter weten in. Dat hij madame de la Rosette nog af en toe opzocht, en dat er wat scharrels kwamen en gingen; het bleef altijd bij vermoedens en vermoedens, kon ik negeren. Hier in deze brief lag de lust niet langer verscholen, wat mijn vader met zijn reactie ook nog eens wist te bekrachtigen. Terwijl ik het glas van hem aanpakte, recapituleerde ik nog voor zijn hand voor me langs schoot en de rest van het papier bedekte. Met wijsvinger en duim draaide hij het blad om en daarmee bracht hij mijn vader terug. Een vader die getrouwd was en die elke avond in bed stapte in zijn eigen huis, naast zijn vrouw, nadat hij een liefdevolle kus op de voorhoofden van zijn slapende kinderen had gedrukt.

De dag daarop vroeg hij me voor het eerst mee op een wandeling. *Die Einen sie weinen, die Andern sie wandern*, was zijn motto op die tochten. Nou, veel te lachen viel er met hem ook niet. We liepen zwijgend over het plateau van Margraten. Passeerden een boom, een bank, een koe. Ik probeerde mijn voetstappen aan te passen aan zijn tred, maar het lukte niet. Hij liep langzaam en zwaar. Bij elke stap van hem moest ik er vier zetten, waardoor ik zo'n beetje huppelde. Ik pakte zijn hand en hij trok hem niet weg, maar bleef in de mijne knijpen. Verbaasd was ik over het zweet dat van zijn hand in die van mij gutste. Af en toe moest ik loslaten om het overtollige vocht aan mijn jas af te vegen. Hij zei niet veel, alleen bij een veulen dat naast zijn moeder voort-huppelde in de wei bleef hij staan en sprak meer tegen zich-zelf dan tegen mij: 'Kijk eens wat een mooi beeld en toch... het doet me niets.' Daarna zuchtte hij diep en de stilte viel tussen ons in, ondanks het geluid van onze voetstappen op het pad, regelmatig, met de afdrukken in het zanderige grind. Een paar honderd meter verderop begon hij te pra-ten. Hij verwoordde zijn falen als vader, als echtgenoot, wat hij verder had gepresteerd... Zijn leven één totale misluk-king. Ik luisterde en verfoeide hem. Ik verfoeide dat hij me dit aandeed. Dat hij tegen me sprak alsof de band tussen ons een andere was dan die van vader en dochter. Tegelijk-kertijd ging mijn hart naar hem uit en was ik trots dat hij mij tot zijn intimus maakte. Ter hoogte van het Savelsbos greep hij ineens mijn andere hand en schreeuwde het uit over de velden: 'Puella puellala, mijn dochter, mijn redder, mijn godsgeschenk.'

XVII

Tegen de avond loop ik de kamer van het ziekenhuis in. Mijn hoofd is nog bij Frederikke die de laatste tijd steeds op het schoolplein in een boom klimt en er pas uit komt als ik erbij word gehaald. 'Ik ben bang om eruit te vallen,' verklaarde ze in het kamertje van de directeur. Op zijn tip om er dan maar niet meer in te klimmen, begon ze onbedaarlijk te huilen. Ik besluit mama er niets over te zeggen.

De gordijntjes om haar bed zijn dicht. 'Boe,' zeg ik en houd het gordijn als het kleed van de heilige maagd Maria om mijn hoofd. Mama lacht niet, ze kotst. Tussen twee keer kokhalzen door kijkt ze me lijkbleek aan. De moedeloosheid staat in haar ogen. 'Ik ben zo misselijk Marieke, ik kán niet meer.'

Ik geef haar een schoon kartonnen bakje en loop met het andere naar de prullenbak. Het is voornamelijk speeksel en gelig slijm wat ik zie. Angst welt in me op. Wat als ze erin stikt, zoveel als zij overgeeft.

Bovendien baart het me zorgen dat ze zo misselijk blijft. Een onderzoek naar de lever, zoals Grossart voorstelde, heeft mama geweigerd. Ze herstelt niet van haar eerste chemo. De port-a-cath is wel geplaatst, maar verstopt geraakt en overbodig. Ze durven het kastje er niet uit te halen. Ze is te ernstig verzwakt voor een operatie. Ik verlang terug naar de chemotherapie; de logische verklaring voor haar misselijkheid, het medicijn tegen ons gebrek aan hoop.

'Laten we wat leuks doen om het te vieren,' stelde Thomas op een avond voor. Ons derde bod op het huis in de Kersenlaan was eindelijk geaccepteerd. Veel hoger dan we in het begin hadden begroot, maar er was inmiddels een ander stel voor de tweede keer gaan kijken, wisten we van de makelaar. Bovendien maakten de erven van de kinderloze weduwe die het huis naliet, het ons moeilijk. Het ging om twaalf verschillende stichtingen, die na elk bod steeds allemaal geraadpleegd moesten worden. Vooral de Stichting Eekhoornopvang en de Organisatie ter behoud van de wilde kokkel weigerden onder de vraagprijs te zakken.

Het eerste wat ons te doen stond na de koop, was een goedkope en snelwerkende aannemer te vinden. Lagerwey had zich onverhoopt teruggetrokken. Op ons bericht dat wij echt maar tachtigduizend euro te besteden hadden, werd niet gereageerd. Dagenlang probeerden we de zoon op zijn mobiele nummer te bereiken. We zouden voorstellen zelf het sloop- en schilderwerk te doen en af te zien van de tweede badkamer en de uitbouw. Pas toen ik het nummer intoetste op de mobiel van een vriendin kreeg ik hem aan de lijn. Hij zat in een bootje ergens op de Loosdrechtse Plassen, maar hij zou die avond nog contact met ons opnemen. Een week later stond hij op de voicemail. Het bericht was om halftwee 's nachts ingesproken: 'Mijn vader en ik hebben besloten de klus niet aan te pakken. Het huis verkeert in een te slechte staat voor het bedrag dat jullie je kunnen veroorloven.'

Frederikke had uit de *Penny* een bon gescheurd en hem weken geleden een keer op mijn hoofdkussen gelegd. Voor een spotprijsje konden we drie dagen in een wigwam van Ponypark Slagharen. 'Moeten jullie doen,' zei mama, die het een goed idee vond als we er samen weer eens op uitgingen. Thomas en ik waren toe aan wat ontspanning en bovendien hadden we het idee dat Frederikke vooral in bomen was gaan klimmen wegens gebrek aan aandacht van mij de laatste maanden. Zo'n uitje zou ons allen goeddoen en haar in het bijzonder.

Het feest begon in de 'zweefapollo', waarna we Frederikke achternagingen en in een grote theekop stapten, om hotsend en klotsend op het water net niet tegen andere theekopjes te botsen. Na het verorberen van wat halfgare pannenkoeken met suiker en een uur doorbrengen bij de hulppost vanwege diverse wespensteken, terwijl het pas april was, gingen we nog even in de wildwaterbaan. Lotta was boos op mij omdat ik vooraan was ingestapt en dus als enige doorweekt raakte, terwijl zij het juist zo warm had. Ik lachte om haar opmerking. Kletsnat was ik, terwijl de wind mijn natte kleren tegen mijn lichaam blies waardoor ik het nog kouder kreeg.

Slechts af en toe maakte ik me zorgen om mijn moeder. Mijn gedachten draaiden om de vraag of Ronald haar wel zou bezoeken en hoe lang hij haar gezelschap zou houden. Hij had afwijzend tegenover ons uitje gestaan, omdat hij zich voor zijn werk op een congres moest voorbereiden en Hélène ook weinig kans zag bij mama langs te gaan; iets met een feestelijke opening van de designafdeling van een meubelzaak die zij mocht verzorgen.

's Avonds in de wigwam, toen de kinderen sliepen in hun tipibedden, maakten Thomas en ik ruzie over het gebruik van een schoonmaakdoekje. Volgens hem zou ik met dat doekje 's ochtends de vloer hebben schoongemaakt terwijl ik er nu de resten van de pastasaus op het fornuis mee opdepte. Deze keer hield ik mijn mond niet. Bewust stuurde ik aan op een confrontatie. Een belofte aan mezelf na wat eerder die dag op een bankje even voorbij de lachspiegels was voorgevallen.

De kinderen waren naar de speeltuin gelopen en Thomas had zich van zit- in ligstand gemanoeuvreerd. Gelukzalig had hij zijn hoofd in mijn schoot gevlijd, op mijn jas die over mijn nog altijd natte spijkerbroek lag. Mijn arm legde hij op zijn bovenlichaam en met mijn hand streek hij gerieflijk over zijn eigen wang. 'Wat is het fijn zo, hè? Net als vroeger.' Hij wachtte niet op het antwoord, maar viel op hetzelfde ogenblik in slaap, het zachte geronk direct daarna als bewijs. Ik zat ongemakkelijk half op de tas met de blikjes en de broodtrommels en door de druk van Thomas' zware lichaam voelde ik de randen van de houten leuning in mijn rug. Voor ons stond een oude eik. Eiken kunnen wel vijfhonderd jaar worden. Gezien de dikte van de stam leek dit een exemplaar waar het park zich omheen had gevouwen. De boom had vast generaties pretparkgangers overleefd. Het zonlicht filterde de bladeren en daartussendoor bescheen een straal de wang van Thomas en mijn oog.

Ineens had ik de behoefte van plaats te ruilen. Ik wilde dat ik degene was die als vanzelfsprekend op Thomas' schoot in slaap kon vallen. Als een kind wilde ik geaaid en gekoesterd worden door mijn man. Bij hem uithuilen om wat verloren zou gaan, mijn angst uitspreken dat ik niet meer zijn steun en toeverlaat kon zijn. Dat het aftreksel van mijn oude ik alle grip zou verliezen. Hoezeer ik mijn moeder ook bewonderde vanwege haar enorme opofferingsgezindheid, ik wist dat ik daartoe niet in staat was. Bovendien: wat had dat opofferen haar nou uiteindelijk opgeleverd? Haar man was toch bij haar weggegaan en door verstandig te leven, gezond te eten en niet te roken of te drinken had ze de kanker niet buiten haar lijf kunnen houden. Wat had het eigenlijk allemaal voor zin?

Toen de zon zo was gedraaid dat de straal zijn rechteroog prikkelde, werd Thomas wakker en kwam overeind. Uit mijn mond kwam niets anders dan: 'Zullen we kijken waar de kinderen uithangen?'

In de wigwam overviel mijn eigen woede me. Een rede-loze en radeloze scheldkanonnade om een vies fornuis met spetters pastasaus bracht niet alleen Thomas, maar ook mijzelf uit evenwicht. Om uit te razen, haastte ik me naar buiten. In de wigwam amper vijf meter naast de onze gin-gen de gordijntjes opzij en ik stak demonstratief mijn tong uit. Over het pad holde ik naar het gesloten hek voor de in-gang van het attractiepark en terug.

Op zoek naar veiligheid. Alles had altijd en alleen be-staan bij de gratie van het vertrouwen van mijn moeder. Een strohalm scheidde me nog van het ravijn. Zolang ze leefde, zolang ze me nog moed kon inspreken in haar over-tuiging dat het met mij wel goed zou komen, dat het goed was, zou ik overeind blijven. Geborgenheid zou ik vinden tot het einde, in elke vraag die ze me stelde, elk woord dat ze sprak, elke aai door mijn haar. Daarna zou alles troebel worden. Als een onveranderlijke en tijdloze diepzee waar geen zonlicht, geen warmte kwam.

Bij thuiskomst bleek mama te zijn opgenomen met trom-bose. Met gillende sirenes had een ambulance haar naar het ziekenhuis vervoerd. Mama drukte om vier minuten over twee 's nachts in het verzorgingstehuis in paniek op de alarmknop naast haar bed.

'Ik moet mijn medicijnen hebben, want dat moet altijd om halfzes,' zegt ze als ik naast haar ziekenhuisbed sta. Haastig zet ik de meegebrachte bloemen in een vaas en prik de tekening van Kobus op de muur. Hij heeft naar eigen zeggen oma en hemzelf in het spookhuis getekend, want daar gaat hij met haar naartoe als ze weer beter is. Ik ga de verpleegster zoeken, die in geen velden of wegen te bekennen is. Ik klop op de deur naast de balie en zie als iemand de deur opent de verpleegster van de zaal. Met haar rug naar me toe zit ze te eten. 'Sorry dat ik stoor, maar mijn moeder moet haar medicijnen hebben.' 'U ziet toch dat ik zit te eten?' Ze draait zich half om.

'Ja maar mijn moeder zegt dat het op vaste tijdstippen moet.' Met een woest gebaar schuift ze de stoel naar achteren en ze stuift de gang op. Ze opent een kast en rukt wat potjes uit de stellingen, loopt naar de ziekenzaal. Ik moet rennen om haar bij te houden. Haar jas wappert, streelt mijn benen.

Als ze het gordijntje opent, leegt mijn moeder net weer haar ingewanden in het zoveelste kartonnen bakje. Opgelucht haal ik adem. De verpleegster zal het nu begrijpen. Ze zal verlichting geven door begrip. Dat kunnen verpleegsters goed. Zelfs beter dan familieleden. Ik ken mijn moeder, de verpleegster kent haar ziekte. Ik sta er niet meer alleen voor.

'Zo, u moet uw medicijnen hebben, hoorde ik. En hoe denkt u die nu binnen te houden, mevrouw Steen, hebt u daar weleens aan gedacht?' Haar snerpende stem snijdt me in de ziel. Onverminderd raast ze door: 'Had u dat niet kunnen bedenken voor u uw dochter erop uitstuurde? U had zelf ook wel kunnen bellen, maar nee, dat doet u niet, mevrouw Steen. U denkt zeker dat ík nooit hoef te eten.' Ze smijt de medicijnen, de flesjes en potjes op het tafeltje naast het bed en verdwijnt. Mijn moeder kotst nog even door. Ik zie haar gezicht niet, maar ik hoor haar tussendoor snikken.

Ik begrijp het niet. Waarom zijn de verpleegsters niet lief voor haar? Het is net als in het Limburgse ziekenhuis. Is ze misschien niet hulpeloos genoeg? Is het een gebrek aan dankbaarheid? Hulpeloze mensen, mannen vooral, zijn aandoenlijk. Zoals ze de verpleegster bedanken voor een glaasje water, dat ze met trillende handen aanpakken. Aandoenlijk is mama niet. Hulpeloos is ze nooit geweest en tot haar laatste snik zal ze zich weerbaar opstellen. Naast haar op bed strijk ik haar over de rug.

Als ik het bakje naast het bed op het tafeltje zet, blijft mama snikken. Aan de overkant wordt nu gefluisterd.

Met een zakdoek boent mama haar ogen nog roder dan ze al waren.

'Zo hoeft het voor mij niet meer,' zegt ze als ze is uitgehuild. 'Laat ze me dan maar een pilletje geven, dan ben ik overal vanaf.'

Keuzevrijheid: ik geloof erin. De enige keuze die een mens niet voor zichzelf kan maken is die van de geboorte. Daarna staat alles je vrij. Maar wat ze zegt, treft me als een dolkstoot.

Ik weet dat mama's verdriet voortkomt uit machteloosheid. Dat ze het niet zal opgeven en dat ze met hand en tand zal strijden voor het leven dat haar zo dierbaar is. Daarvan ben ik overtuigd. Maar die andere strijd vlecht zich er ongegeneerd doorheen. Herinneringen die de mazen van het net vinden, zich erdoor wurmen en hun gevangenschap onderzoeken.

Die mij verlammen door het venijn en de plotselinge helderheid waarmee ze zich aan mij openbaren. Herinneringen aan mijn vaders jarenlange strijd om dood te mogen gaan.

Ze laat zich door mij over haar rug aaien. 'Mama, het komt goed,' zeg ik zacht als ze nog wat nasnikt. 'Die verpleegster is een beetje overwerkt. Het heeft niets met jou te maken. Ga straks maar lekker slapen, morgen gaat het beter.'

Maar de volgende dag gaat het niet beter. Integendeel. Grossart brengt de boodschap accent- en emotieloos. Zijn taak als arts zit erop en het is alsof hij daarmee zijn identiteit aflegt. Geen gebabbel over Frankrijk meer. Geen chemokuur meer voor mama. Nu niet en nooit niet. Nog maar twee wachtlijsten te gaan. De eerste is de wachtlijst voor een hospice. De maatschappelijk werkster van het ziekenhuis heeft haar op die lijst gezet. 'Het Beukenhof is niet meer geschikt voor jullie moeder,' meldde ze ons toen ze als op een teken van Grossart binnen kwam lopen. In de hospice, ook wel het tweede huis genoemd, zou er nog 'kwaliteit van leven' zijn. Een blijf-van-mijn-lijfhuis noem ik het, want anders dan in het ziekenhuis zal mama daar met rust gelaten worden. Geen onderzoeken meer die haar opgezette buik moeten duiden. Geen bloedprikken, geen bestraling. Alleen nog rust, tot ze aan de beurt is op die laatste wachtlijst.

XVIII

Buiten is het zelfs in het late middaguur verstikkend heet. Op de parkeerplaats staat Thomas te wachten. Dimitri viert zijn verjaardag op het strand. Willoos laat ik me door mijn man naar zee rijden. 'Heb je wel zin?' vraagt hij terwijl hij een arm om me heen slaat. Nee, natuurlijk heb ik geen zin om te feesten. Ik heb net gehoord dat mama is opgegeven, maar ik zou even niet weten wat dan wel zin heeft. Naar huis gaan lost ook niets op. 'Anders hebben we de oppas voor niets laten komen,' zeg ik stompzinnig. Als ik me even later tussen de zwetende Corona en prosecco drinkende mensen bevind, die allen geïnteresseerd vragen naar ons huis en een enkeling naar mijn moeder, wil ik me terugtrekken op de wc.

Dimitri, het feestvarken, staat in zijn eentje tegen het muurtje dat de cocktailbar scheidt van de toiletten. Zijn witte linnen broek is opgerold tot boven de enkels. Met één gebruinde voet leunt hij tegen het muurtje. Hij steekt net een sigaret op en kijkt me aan terwijl hij probeert de rook een andere kant op te blazen. Bewondering voel ik voor zijn ontspannen houding. Voor het gemak dat hij uitstraalt, de zorgeloosheid die hem omringt. Ik wil bij zijn wereld horen, die sinds mama ziek is niet meer de mijne is. Dimitri heeft niets in de gaten. Hij is nog altijd in de veronderstelling dat ik met Thomas een gouden koppel vorm, dat we de tortelduifjes zijn van in het begin, die voor het geluk geboren zijn. Levensgenieters pur sang zijn we volgens Dimitri en drie kinderen op de wereld zetten, daar heb je behoorlijk wat lef voor nodig. Dat Thomas en ik ons bij het kopen van het huis niet hebben laten weerhouden door mama's ziekte was onze zoveelste briljante zet. De komende verbouwing zal alles nog beter maken, al zouden we wat hem betreft ook zo in het huis kunnen trekken. 'Jullie zijn nog gelukkig met elkaar in een schuilkelder.'

Zijn woorden zijn als een bontmantel voor een dakloze. In één klap transformeer ik door zijn ogen tot een winnaar. Ik hoor mezelf praten over hoe goed het is voor mijn moeder dat ze nu naar een hospice mag, ik citeer de maatschappelijk werkster van het ziekenhuis met 'kwaliteit van leven', en meer bla bla bla. Een aannemer vinden die goedkoop en goed verbouwt, gaat ineens 'zeker lukken' en ik ben het roerend met Dimitri eens dat Thomas en ik prima om kunnen gaan met wat tegenslag en elkaar voor de volle honderd procent blijven steunen. Uit dank voor zijn grenzeloze vertrouwen beloof ik stilzwijgend dat ik na mama's dood het hele bedrag van haar financiële erfenis in zijn vermogensbeheerbedrijf zal beleggen.

'Waar is trouwens je vriendin? Katinka heette ze toch?' Hij mompelt iets over dat ze moet overwerken en heft ondertussen zijn glas. Dimitri geeft me een flinke slok prosecco. Met onze beide handen om zijn glas proosten we op zijn verjaardag en op onze samenwerking. Ik neem zijn sigaret over, om vervolgens diep te inhaleren. Na zijn verbaasde 'Je rookt toch niet?' overhandigt hij me het hele pakje

Camel, minus één omdat hij in mijn aanwezigheid plechtig zweert hier zijn laatste sigaret op te steken.

Terug bij de strandbedjes is Thomas druk in gesprek met een vriend van Dimitri die opzichter is bij grote bouwprojecten van de gemeente. Om me heen hoor ik vrouwen praten over kleding, kinderopvang en het laten laseren van de bikinilijn. Het zand ligt bezaaid met lege proseccoflessen en nootjes. Een speciaal ingehuurde bartender begint aan zijn caipirinhashakes, de sambaband schakelt naar een opzwepender ritme.

Ik laat iedereen achter me en loop naar zee. De ondergaande zon legt het water als stroop voor me uit. Ik trek mijn jurk uit en laat me in string en bh het water in glijden dat aanvankelijk weldadig warm aanvoelt. De zee tilt me op alsof ik een veertje ben, neemt me mee naar een dieper punt waar ik niet meer kan staan en waar de kou aan mijn voeten trekt.

Mijn borstcrawl is ferm en gelijkmatig. Na elke slag richt ik mijn blik op de boei verderop, met het donkere water rondom. Ik ben altijd een goed zwemmer geweest, met dank aan mijn moeder, die mij en mijn broer op zwemles deed toen we nog maar net op de kleuterschool zaten. Mijn vader redde ze van de verdrinkingsdood op hun verlovingsreis in Rimini. Ondanks mama's vele aandringen heeft hij echter nooit leren zwemmen.

Ik grijp de boei met één hand vast terwijl ik me helemaal lang maak en mijn linkerarm alvast spreid. Dan laat ik met mijn andere hand de boei los en drijf met mijn gezicht in het water, als een drenkeling na een schipbreuk.

Hoe het voelt, verdrinken. Ik wil voelen hoe het voor hem was, de paniek die ook bij hem moet hebben toegeslagen, het happen naar lucht, de natuurlijke drang te ademen, de longen vol water.

Een herinnering die altijd sluimerde. Niet langer wil ik hem negeren. Terwijl ik naboots hoe mijn vader daar in het water moet hebben gelegen, laat ik het tot me komen. Ik ben een meisje van tien. Die ochtend. Net zo helder als het ingekleurde water op foto's in een reisgids over de Bahama's in de wachtkamer van dokter Grossart.

Gedempte geluiden uit de badkamer. Heel vroeg. Op een tijdstip dat normaal gesproken nog niemand op was. Vroeg wakker worden overkwam me vaker. Ik ging dan zachtjes naar beneden, naar buiten en pakte mijn fiets. Op weg naar het strand, door de duinen. Meestal was ik rond negenen terug, waarna ik de tafel dekte en mijn broer en onze ouders wakker maakte voor het ontbijt.

Op blote voeten sloop ik van de zoldertrap naar de eerste verdieping. De deur stond op een kier. Ik hoorde stemmen. Geruststellende klanken van mijn moeder: 'Sst, stil maar, het is al goed, sst.' Het andere geluid ging door merg en been. Een jankende hond, maar dan heel zielig, heel zachtjes. Een dier in doodsangst, dat hoorde ik. Ik duwde tegen de deur en zag de jankende hond. Ik herkende hem in eerste instantie niet. Hij zag er heel raar uit. Hij zat met kleren aan in bad. Zijn blik werd aan mijn zicht onttrokken door een vrouw die met de douchekop in haar handen voorovergebogen stond, de rug naar mij toe. Ze hield de douchekop gericht op de kleding, over het lichaam van de man die op en neer bewoog als een mitrailleur die kogels afvuurt. Het water kleurde groen, grijs, zwart. De kleur van het kanaal vlak bij ons huis.

In zijn haar zat kroos.; het was bedekt met groene smurrie. Als ik de situatie niet zo verdomd goed zou hebben begrepen, als ik zijn wanhoopsdaad niet instinctief had aangevoeld, had ik kunnen lachen op dat moment. Lachen om die man daar in dat bad, bibberend als een baby, met zijn kleren aan in bad gedaan door mijn moeder.

De rivier de Wietering stuurt wanhopigen zonder zwemdiploma onbekommerd terug de wereld in. Ondiep is hij zelfs op zijn diepste punt.

Een teug dood wordt in de zee weggespoeld, gedrenkt in het zout op mijn huid als ik mezelf droogloop langs de vloedlijn. Ik geef over in het zand. Daarna loop ik langzaam in de richting van muziek, zweet en alcohol. Thomas praat nog steeds met de opzichter. Dimitri is nergens te bekennen. Niemand heeft me gemist.

XIX

Uiteindelijk besloot ik ontslag te nemen. Het was in de tijd dat de buurvrouw ineens verdacht vaak bij ons aanbelde. Op een dag stond ze op de stoep met twee kaartjes voor een concert van Lenny Kravitz. Zo is het begonnen. Ik haatte Lenny's muziek, maar dat kon zij natuurlijk niet weten. Sinds haar scheiding paste ik weleens op haar kinderen en nu ze haar zus uit Ierland te logeren had, kon ze eindelijk iets terugdoen. Het eindigde ermee dat Thomas in mijn plaats meeging.

Op het afscheidsfeest van mijn werk werd ik gelauwerd om mijn verleden als energiek en levenslustig persoon. Geen woord over de tijd van mama's ziekte en ook niet over de tijd daarna, dat ik er meer niet dan wel was. Mijn baas zong samen met roostermaker Kitty en collega Yvonne een lied waarin zinnen als: 'Geen moeite was haar te veel' en 'haar humor was fenomenaal' voorkwamen. Het was een 'ik stond erbij en keek ernaar'-ervaring. Ik miste elke connectie met wat zovele jaren mijn collega's waren geweest, herkende niets van wat ze over me zeiden en accepteerde gelaten de handen en de cadeaus.

Tijdens de borrel kwamen de waarschuwingen. 'Kon je je niet láten ontslaan, dan had je tenminste recht op een uitkering.' 'Waarom heb je je niet ziek gemeld; je bent behoorlijk overwerkt, als ik het zo hoor.' Ze praatten over de ophanden zijnde recessie en zeiden dat het in deze tijd gevaarlijk was je baan zomaar op te geven. 'Je krijgt in het onderwijs nooit meer een vast contract.'

Woorden als zekerheid en toekomst waren echter allang niet meer aan mij besteed. Het deed me allemaal niks. Ik wilde alleen maar rust aan mijn kop. Voor mij geen Arboarts met reïntegratieplan, geen gang naar het CWI en brieven van een uitkeringsinstantie in mijn brievenbus om me aan mijn haren naar een of andere school met een vacature te slepen. Ik was verstrikt geraakt in de draad die ik had gevolgd door het labyrint van lesgevenden en werkte mezelf nu langs de andere kant naar buiten. Ik wilde ontsnappen aan het juk van klakkeloze navolging, ontsnappen aan de weg die mijn ouders me waren voorgegaan. Eindelijk zou ik eens de tijd nemen om na te denken over wat ik nou echt wilde. Er was immers geld genoeg, ondanks onze tophypotheek en onze geplunderde spaarrekeningen, waarmee we de laatste duizendjes in contanten aan Bartosz hadden betaald. Een aanzienlijke som geld, overgehouden van de financiële erfenis, zat zoals afgesproken in het vermogensbeheerbedrijfje van Dimitri en daarnaast was er altijd nog het ouderlijk huis dat te koop stond en dat mij uiteindelijk wel van een inkomen zou voorzien.

Dimitri ontving ons als vorsten toen we, vlak na het overlijden van mama, over het geld in het fonds kwamen praten. Het pand aan de gracht zat strak in de verf. Naast familie en zijn uitgebreide vriendennetwerk had hij ook nogal wat zakelijke relaties kunnen overhalen met hem in zee te gaan. Het verbaasde me niks. Het woord 'verliezen' behoorde niet tot Dimitri's vocabulaire. Iedereen geloofde in hem.

Een driedelig pak in een zachte grijstint vond ik lichtelijk overdreven voor zo'n gewone dag, maar ongewild was ik toch onder de indruk. Toen hij het jasje even opensloeg, zag ik het Hugo Boss-embleem. Hij had zijn witte stropdas losjes omgeknoopt en zag er onweerstaanbaar stoer en zelfverzekerd uit.

Omdat hij ons niet wilde onthouden waar klanten recht op hadden, kregen we een presentatie over de twee hedge funds waar we uit konden kiezen. Zelf stelde hij het meest risicovolle fonds voor: het Triple Profit Fund en dan de *geleveragede* versie, waarbij ik alleen al vanwege het woord vroeg of hij mijn champagneglas maar even wilde bijvullen – 'uit de streek meegenomen', Dimitri tikte tegen het etiket terwijl hij het zei. Met een gemiddeld rendement van twintig tot vijfendertig procent per jaar was de kans groot dat ik al snel een sabbatical zou kunnen nemen. Het fonds – hij sprak erover als een keizer over zijn imperium – bestond uit 'een combinatie van traditionele aandelen, met name waardeaandelen in de financials, met long/shortposities in derivaten en beleggingen in alternatives, een combinatie van hedge funds, private equity en...' Thomas luistert wel, dacht ik terwijl ik opstond en naar de ouderwetse schoorsteenmantel liep, waar een enorme vaas met witte lelies stond. Aan een steel hing een kaartje: *Veel succes, Johnson investments*. Wel vreemd dat Dimitri's vader zo onpersoonlijk namens zijn bedrijf tekent, dacht ik en liep door naar het raam, dat de hele breedte van de kamer besloeg. Op een bankje aan de gracht zaten een man en een vrouw. Ze leken alle tijd van de wereld te hebben om meeuwen broodresten te voeren. De man haalde het brood uit een papieren zak, waarna hij het overhandigde aan de vrouw, die het vervolgens in de lucht gooide. Een steek van jaloezie ging door me heen. Wat nou als het mijn vader en moeder waren die daar zaten, zou ik dan nu gelukkiger zijn geweest?

Met een zucht draaide ik me om naar de chesterfieldbanken en de grote houten boekenkasten, het zware bureau met de leren stoel erachter: alles ademde soliditeit en welvaart uit, de robuustheid van oud-Engelse aristocratie. Dimitri wist wat hij deed. Hij zou ons welvarend maken.

Nog altijd was hij bezig met zijn verkooppraatje: 'Je kan het geld op willekeurig welk moment opnemen en voor jullie reken ik uiteraard dan geen kosten. Dat is het grote voordeel van beleggen boven sparen. Geen deposito's en looptijden van jaren en jaren om maar een beetje rendement te vangen. Door goed te beleggen in mijn fonds gaan jullie voor snel en doeltreffend.' Thomas knikte instemmend, met een big smile op zijn gezicht. Hij zag de miljoenen al binnenstromen.

Dimitri zat zelf goed in de slappe was en hij liet anderen er royaal van meegenieten. Op verjaardagen kregen we van hem een portable dvd-speler, een ijsmachine en zelfs een keer een weekendje Barcelona, waar de rest van onze vrienden aankwam met een flesje wijn, een bosje bloemen of een bon voor anderhalf bioscoopbezoek. Als we al twijfels hadden, dan trok het levensgrote schilderij van stadhouder koning Willem de Derde ons over de streep. Jullie hebben niks te vrezen, knikte Willem ons minzaam toe. 'Het oude geld is gek op schilderijen als deze,' zei Dimitri, mijn blik volgend. 'Ik heb er al heel wat rijkelui mee binnengehaald.'

In diezelfde tijd voerde Ronald druk telefoonverkeer met de verkopend makelaar en enkele serieuze gegadigden voor het huis in Limburg. Hij was vast van plan het onderste uit de kan te halen. Een postuum eerherstel voor al het geld dat met onze toenmalige verhuizing naar Limburg bij de verkoop van ons oude huis verloren was gegaan. Ik begreep niet precies waarom, maar Ronald maakte daar van begin af aan een halszaak van. Het bleef maar spaak lopen met kopers, op in mijn ogen minimale verschillen.

Na de drukke beginperiode werd het stiller volgens de makelaar. Hij stelde voor de prijs te verlagen. Ronald zwichtte uiteindelijk schoorvoetend. Die verlaging leek onmiddellijk vruchten af te werpen. Een pasgetrouwd stel ging deze week voor de tweede keer kijken.

Voor we het huis van mama in de verkoop zetten, hadden we het helemaal doorgeploegd. Alles wat Ronald rotzooi noemde, had hij weggegooid of naar de kringloop gebracht en dat was achteraf wel een beetje veel geweest, dat gaf hij zelf ook toe. We waren samen in mama's slaapkamer begonnen. Alleen het tweepersoonsbed en de secretaire lieten we staan. De secretaire was een erfstuk van mijn betovergrootouders. Mama was apetrots geweest op het bureautje. Vooral de mahoniehouten lades met hun antiek koperbeslag vond ze mooi. Op het moment dat ik de bovenste la wilde opentrekken, herinnerde ik me dat ze er vlak na mijn vaders dood een kistje met documenten in had gedaan en de sleutel vervolgens was kwijtgeraakt. Ronald leegde de andere lades en nam de mappen met belastingaangiften van de afgelopen twintig jaar mee naar huis. 'Die kan ik gebruiken voor de aangifte van dit jaar,' zei hij. Wat hield ik op dat moment van mijn broer, dat hij zo'n rotklus beschouwde als een noodzakelijk kwaad, zodat ik me daar in elk geval niet druk om hoefde te maken. Dat de peperdure art-decolamp uit mama's slaapkamer in de achterbak van zijn auto verdween toen Ronald dacht dat ik niet keek, vond ik niet erg, en dat veel van de fotoboeken al bij het grofvuil bleken te liggen toen ik ernaar op zoek was, heb ik hem ook maar niet lang kwalijk genomen.

Van Ronald kreeg ik de taak toebedeeld om de zolder onder handen te nemen. Tegen de tijd dat ik beneden kwam, was hij klaar met de woonkamer. Niet alleen de fotoboeken, ook kleding, gordijnen, serviesgoed, het tapijt en de vaaloranje bank, ja eigenlijk het hele huisraad was in de boedelbak voor de kringloopwinkel verdwenen.

Korte metten maakte Ronald zo met het verleden waar volgens hem in mijn huis toch geen plaats voor was en bij hem thuis zou die oude troep als 'modder op een vlaggenschuit' staan. De luxe relaxfauteuils van Ipe Cavalli die papa met zijn afscheid van school had gekregen waren gebleven, samen met de hocker. Ronald dacht dat het goed voor de verkoop was; de woonkamer oogde groter en bijna luxe. Alles wat aan mama herinnerde, was weg.

Op zolder had ik zelf een heel andere werkwijze gehanteerd. Alles was door mijn vingers gegaan. Van oude rapporten tot moederdagversjes, van brieven van Ronald en mij aan mama tot een stuk afgescheurde krant met aan de bovenkant een krabbel: *Ik zal het nooit meer doen, Ronald.* Meerdere van dit soort lieve briefjes haalde ik uit de mappen, dozen en bakken. Overal dook dat hanenpoterige, kinderlijke handschrift van Ronald op. Bij de medeklinkers zaten extreem lange uithalen naar boven en naar beneden. Ik had een brok in mijn keel van vertedering, vergelijkbaar met toen Lotta voor het eerst zonder zijwieltjes bij me wegfietste. Wat was hij eigenlijk altijd lief voor mama geweest, die broer van mij, wat een moederskindje... minstens zo erg als ik.

Voor Ronald vulde ik eenzelfde doos als voor mij, met een paar van zijn geschreven brieven, een Willem II-sigarendoosje met papa's aantekeningen op de achterkant, wat tekeningen van een driejarige Boudewijn, de oude schoolrapporten en nog wat ansichtkaarten erin.

De tuin lag er dankzij de hovenierskunsten van Piet van de buren florissant bij. Elke maand stortte Ronald geld van de ervenrekening op de groeirekening van de jongen. Tegen lunchtijd haalden we misschien wel voor de laatste keer de rijstevlaai met kroenselen bij de bakker op de hoek en nestelden ons vervolgens op mama's tuinstoelen. Ik liet Ronald praten over de junior accountant op zijn werk die hij moest coachen; een taak waaraan hij zijn handen vol had.

Hij verzuchtte welwillend dat ik toch wel een heel goede luisteraar was en dat hij aan Hélène nooit zoveel vertelde over zaken die niet het huis of Boudewijn betroffen. 'Wat heb je aan luisteren in een gezin als er niets wezenlijks gezegd wordt?' zei ik. Die opmerking negeerde hij door plotseling vol interesse in zijn doos met aandenkens te graaien. Het merendeel van de inhoud liet hij na er een blik op te hebben geworpen achteloos in de vuilniszak naast zich vallen. 'Lekker hè zus, hier in de tuin,' zei hij opgewekt en hij strekte zich uit en pakte het laatste briefje uit de doos. Het was een berichtje van hem toen mama in het ziekenhuis lag, vlak voor onze verhuizing naar Limburg. *Hallo lieve mama, hoe gaat het? Met mij gaat het goed, nu komt er een raadsel...* Toen we waren uitgelachen over het raadsel dat eigenlijk geen raadsel was en de ontroerend mislukte tekening van een Mercedes daaronder, durfde ik hem de vraag te stellen. Ik begon voorzichtig, haalde eerst een vliegje uit zijn haar.

'Wat weet jij eigenlijk van papa, en hoe hij...'

Nog voor ik mijn zin kon afmaken, snoerde mijn broer me met zijn hand de mond. Niet hard, wel gedecideerd. 'De herinnering maak je zelf, zus. Mijn herinneringen zijn mooi, laten het ook de jouwe zijn. Denk aan hoe wij samen op het strand dammetjes bouwden, hoe papa ons verhalen vertelde, wees dankbaar voor de heerlijke gerechten die mama altijd maakte, de liedjes die ze voor ons zong. Al die dramatiek van jou, daar heb je toch niets aan.' Ronald bundelde de pijn van onze ouders op de wijze zoals mama haar leven had ingebonden: fondue-avonden, vakanties, het ontbijt op zondag. Mama en hij waagden zich niet aan wat troebel was. Dat waar ik mijn fantasie voor gebruikte, bleef toch eeuwig onbevattelijk. Zwijgen was voor hen een probaat middel om grip op de werkelijkheid te houden.

XX

Het herenhuis lijkt op het huis waar Ronald en ik zijn geboren. Statig, bijna voornaam staat het aan het eind van de brede laan. Haar eindbestemming en beginpunt gelijk. Voor het hekje van de tuin van de hospice staat een jongetje met een bal te stuiteren. Hij kijkt van de tassen aan mijn armen naar mij en naar mijn moeder en vraagt haar dan: 'Ga jij dood?' Zonder haar antwoord af te wachten gaat hij verder: 'Er komen hier ook de hele tijd van die grote auto's, die halen dode mensen op. Ik mag van mijn moeder niet kijken, maar ik doe het lekker toch; ik vind dode mensen eng.'

'Vind je mij ook eng?' vraagt mijn moeder hem. Het jongetje kijkt haar aan en zegt dan gedecideerd: 'Nee, maar jij bent ook niet dood en je lijkt een beetje op mijn oma en die is ook niet dood. Mijn moeder zegt dat hier mensen wonen voor eventjes omdat het in de hemel soms file is. Als er weer een plekje is, gaat de poort open en dan mag je naar binnen.'

Een breed kiezelpad leidt naar een kolossale houten deur met een glas-in-loodraam erin. De vergelijking met de ontvangstruimte van een crematorium dringt zich aan me op. De witte steentjes knerpen onder onze voeten. Mieke,

Maike of Meike ontvangt ons. Bijna alle namen van de vrijwilligsters die de hospice bemannen, louter vrouwen overigens, beginnen met een M.

In een hal met aan de zijkant alweer een glas-in-lood-raam – deze keer een cirkel met daarin rode, blauwe en gele driehoeken – helpt de vrijwilligster mijn moeder uit haar jas. Als de eerste gasten op een receptie, zo welkom voelen we ons. Over dik zeegroen tapijt lopen we door een smalle gang de woonkeuken in. We drinken koffie uit één mintgroen en één okerkleurig kopje en krijgen er een gebakje bij. Als ik naar mijn moeder kijk, voel ik tranen van opluchting branden. Thuiskomen. In deze omgeving wonen geen zieke mensen. Die hebben we achtergelaten in het huis met de witte muren, witte jassen, het witte servies en de geur van appelmoes en ontsmettingsmiddel.

Mama zat daar al klaar in een rolstoel met haar jas aan. 'Doe de groeten aan uw man,' zei een verpleegkundige ten afscheid. Mama's antwoord: 'Dat gaat een beetje moeilijk, die is dood.'

Buiten was het aan het einde van de middag nog altijd twintig graden. De wisseling der seizoenen was aan haar voorbijgegaan: boven haar jas bolde de kraag van het wollen vest dat we afgelopen winter, toen er nog niets aan de hand leek, samen hadden gekocht. In de lente was mama het ziekenhuis ingegaan, in de zomer kwam ze eruit. 'Het is rokjesdag geweest zonder mij,' zei ze treurig. Met Martin Bril begon ze altijd haar dag.

De hospice voelt als een opwaardering tijdens een vliegreis van economy naar businessclass. Liever die vergelijking dan het idee dat ze op deze plek een levensgrote stap naar haar ontzieling zet.

Na de koffie opent Mieke, Maike of Meike een massieve,

marmoleum deur voor ons. Die deur en de glimmend gouden deurkruk geven het feestelijk onthaal door de vrijwilligster iets cynisch. Direct bij binnenkomst in de kamer zie ik het bed van mijn moeder en denk aan hoeveel mensen haar daar zijn voorgegaan in de dood. Hoeveel zijn er gestikt en hoeveel zijn er langzaam weggegleden naar een andere wereld. Ik slik en probeer van mijn moeders gezicht af te lezen waar zij op dit moment aan denkt.

'Waar moet ik nou mijn tanden poetsen?' vraagt ze terwijl ze om zich heen kijkt. Ze staat totaal ontreddert midden in de kamer. Mieke, Maike of Meike schrikt ervan, net als ik, en terwijl ik mama in de stoel bij de openslaande deuren naar de voortuin duw, opent de vrijwilligster een andere deur waarachter een wastafel tevoorschijn komt.

Mama staat meteen weer op en rommelt wat in haar tas. Ze haalt haar tandenborstel en tandpasta tevoorschijn en begint te poetsen terwijl de vrijwilligster de gordijnen wat verder opentrekt. Ik sta maar wat naar haar te kijken. Alsof ik hier niet meer hoor te zijn. Het is alsof mama door het poetsen, gorgelen en spugen haar territorium afbakent. Nu begint ze te flossen. Gegeneerd sta ik ernaast. Haar gebit, ze was altijd zo trots op die prachtige rij witte tanden die ze had en ze zal ze tot het einde toe goed verzorgen. In de spiegel toont ze me haar geopende mond. Chemo, ziekte en ouderdom hebben daar een samenwerkingsovereenkomst getekend. Ik kijk in een druipsteengrot vol stalactieten en stalagmieten.

De weken erna delen Ronald en ik vooral dankbaarheid. De plek, de voortuin en achtertuin, de gordijnen van warm fluweel, de rode muur die de herfst in de kamer brengt in juli, het zacht ruisen van de vitrage tegen de rozen in de vensterbank, de geur van versgezette koffie die vanuit de keuken mijn moeders kamer binnendringt en de klanken van Couperins *Concerts Royaux*. De hospice: een verademing, met zelfs hier en daar wat geluksmomenten.

Als ik op een ochtend over het tuinpad aan kom lopen, zie ik haar gezicht door het raampje in de voordeur op en neer dansen. Alleen achter de voordeur was plaats voor het gevaarte dat ik uit Dimitri's fitnessverzameling mocht lenen. Ze vroeg ineens om een hometrainer. Ze wilde haar conditie op peil houden. Het dagelijkse blokje om vond ze niet voldoende meer.

Ze draagt een lange zwarte joggingbroek, een kleine witte handdoek hangt om haar schouders. Af en toe dept ze het zweet van haar voorhoofd. De wielen draaien langzaam, niet eens op de lichtste stand, wel een kwartier lang rond. Het is zwaar, dat kan ik zien, maar even later stapt ze vrolijk puffend van de fiets. We drinken een vruchtensapje in de woonkeuken alsof we in de kantine van een sportschool zijn. Uit haar tas pakt ze haar huishoudportemonnee en ze geeft me haar bankpas. Ik moet wat fruit, noten en postzegels voor haar kopen, maar ze wil ook dat ik langs het nieuwe boetiekje ga, zo'n honderd meter verderop. We hebben daar pas nog in de etalage gekeken. 'Koop maar iets moois voor jezelf en houd het meteen aan, want hij komt zo.'

'Hij' is de plaatsvervangend huisarts. Twee keer eerder is hij bij haar geweest sinds de vaste huisarts van de hospice voor ontwikkelingswerk is gezonden naar Afrika. Nooit eerder heb ik haar zo over een man horen praten, behalve dan over mijn vader.

Wat het precies was, kon ze niet uitleggen, zo vertelde

mama als een verliefde puber toen ze me meteen na zijn eerste bezoek belde. 'Je moet hem zien om me te begrijpen.' Het enige wat ze kon noemen was dat hij bij haar op bed was komen zitten, haar diep in de ogen had gekeken en had gezegd: 'Het valt allemaal niet mee voor u, mevrouw Steen.' Haar hunkering naar aandacht en bevestiging, dat was waar deze huisarts in kon voorzien. Hij lijkt op z'n minst een paar maanden extra op te leveren.

Het wordt een minuscuul jurkje van rode stretchstof, dat nauw aansluit op de huid. Als ik in de spiegel kijk, schrik ik van mijn afgetobde gezicht. Zo moe van de inspanningen en toch het gevoel dat ik alles verkeerd aanpak. Maar dit niet. Deze vlammende jurk maakt me als een stier in een arena. Sterk, opgeladen voor het gevecht.

Het is fijn dat ik van mama een jurk mocht uitzoeken. Ik besluit hem voor haar aan te houden. Ze zal trots op me zijn, de jurk staat me goed, wel enigszins overdreven voor een huisartsenbezoek. Met bruinrode blusher tover ik wat kleur op mijn gezicht, ik stift mijn lippen opnieuw en borstel mijn weerbarstige lokken tot ze in golven over de smalle bandjes op mijn schouders vallen.

Terwijl Thomas me een gunst wilde verlenen door de kinderen van de opvang te halen en ze alvast eten te geven zodat ik vanavond wat langer bij mijn moeder kan blijven, sta ik me hier in een pashokje mooi te maken voor een man die ik nog nooit gezien heb. Belachelijk voel ik me ineens, en halfnaakt, als ik in mijn nieuwe jurk naar de hospice loop.

In de voortuin staat een grote zwarte motor en vanuit de gang hoor ik een vreemde stem die zich mengt met die van mama. Als João Gilberto die 'The Girl from Ipanema' zingt, zo klinkt hij: donker, slaperig en hees. Mama zit rechtop in bed en aan haar voeteneinde zit een beer van een vent in een leren jas met opgestroopte mouwen. Woest dansen zijn zwarte krullen over een deel van zijn voorhoofd en wang. Hij kijkt van de thermometer op en gaat staan als ik binnenkom. 'Ay Marieke Marieke,' citeert hij Jacques Brel, hij pakt mijn rechterarm, draait me eronderdoor en leidt me als een tafelheer naar een van de stoelen bij het raam. 'Geen woord te veel gezegd, mevrouw Steen: wat een prachtige dochter hebt u. Ik ben de tweede huisarts, aangenaam,' zegt de man, grinnikend om zijn woordgrapje.

Overdonderd laat ik me in de stoel duwen, op mijn moeders gezicht staat een grijns van hier tot Tokio. 'Koortsvrij,' zegt ze blij tegen me, 'en wat heb je een mooie jurk gekocht.'

De bankpas stop ik terug in de tas en daarbij gooi ik de stapel boeken en kranten om die op het nachtkastje liggen. Mieke is net binnen geweest om te vragen of Cornelis (zo heet hij dus) koffie wil, als ook Meike om het hoekje van de deur verschijnt met dezelfde vraag. Ik zie hem nee-schudden terwijl hij voorovergebogen staat om mijn moeders hartslag te meten. 'Cornelis wil niet, maar ik wel, dank je,' zeg ik sluw. De huisarts en mama barsten samen in lachen uit.

Even later sta ik samen met hem in de tuin. 'Cornelis, heet je echt zo? Rare naam voor een man op een motor.' Ik lach zo koket mogelijk. Hij geeft geen antwoord, lijkt afwezig. 'Sorry, Marieke, maar ik moet even een sigaret opsteken, jij ook een?' Cornelis steekt een klassieke Gauloise tussen mijn vingers en wipt een gouden aansteker uit zijn zak. Het voelt alsof ik voor hem een vanzelfsprekendheid ben. Zijn vingers met flinterdunne trouwring, trillen enigszins. Hij vertelt kort over mevrouw Kats uit de linkerkamer aan de achterzijde. Mama had het al verteld; ze is vanochtend overleden, ook kanker. Het was zo gebeurd, na het eerste pompje Midazolam voor de sedatie was ze dood. Mama had de kist door de vitrage voor de openslaande deuren in de lijkwagen zien verdwijnen. 'De dood went nooit, weet je.' Hij kijkt me bedroefd aan. Een arm zou ik om hem heen willen leggen, ik zou hem willen aaien en troosten, maar vrees dat ik dan voor een eerste ontmoeting tussen een huisarts en de dochter van een patiënt grenzen overschrijd. In plaats daarvan diep ik onder uit mijn tas een fles wijn op. Eigenlijk een cadeautje voor de juf van Lotta, die net haar rijbewijs heeft behaald en een echte wijnliefhebber is. Zojuist gekocht in een winkel naast de kledingzaak. 'Komt nu wel van pas, toch?' vraag ik terwijl ik de schroefdop open. Cornelis kijkt voor hij de fles aan zijn lippen zet even rond of Mieke, Maike of Meike niet toevallig de bloemetjes water willen geven. Hij neemt een flinke slok en veegt met een gespierde onderarm zijn mond af.

De huisarts verklapt dat hij al jaren probeert van zijn nicotineverslaving af te komen. Waarop ik vertel over mijn vader en hoe hij de laatste maanden van zijn leven stopte met roken met hulp van Allen Carr. 'Carr heeft met zijn boek de depressie weten te voeden. Mijn vader is dood omdat hij wilde stoppen met roken en mijn moeder gaat dood aan longkanker terwijl ze nooit gerookt heeft.' Het klagelijke, dramatische van mijn boodschap: ik ben gewend dat mensen op dat moment over iets anders beginnen of afhaken, maar Cornelis blijft staan, buigt zich zelfs naar me toe als hij reageert.

'Je vader heeft slechts de krachtmeting met zichzelf verloren. En je moeder rookte helaas voor haar al die jaren met hem mee.' Zo van dichtbij zie ik dat zijn ogen niet bruin zijn maar heel donkergroen, met hier en daar een bruin spikkeltje erin. Mijn knieën worden week, ik voel me draaierig en warm en ik weet zeker dat we elkaar als alle omstandigheden anders waren geweest op dit moment gekust hadden. 'Beter doodgaan als gelukkige roker dan door een ongelukkig leven,' zeg ik enigszins ongemakkelijk en maskeer daarmee mijn hunkering.

Zijn stem klinkt nog heser dan daarvoor. Hij pakt mijn kin beet en zegt: 'Roken om onverschilligheid te veinzen, is jezelf tekortdoen. Probeer het lot niet te tarten, daar word je op den duur alleen maar ongelukkig van. Hoe je vader zich voelde, dat zul je nooit weten, maar je moeder is volgens mij helemaal niet zo ongelukkig als jij nu insinueert. Je kunt het haar nu nog vragen.' Op droge toon voegt hij eraan toe: 'Je kan overigens ook doodgaan aan een ongelukkig leven als je rookt.'

XXI

Vanuit haar kamer aan de voorzijde van de hospice horen we de klokken van het buurtkerkje luiden. Wijzers die voortschrijden maar de tijd schuift niet mee. Hitte maant ons allen tot stilstand, laat mensen de supermarkten in vluchten om met hun neuzen in de koelvitrines naar lucht te happen. Er komt een walm van het asfalt, een kind brandt haar voet als ze tijdens het hinkelen een slipper verliest. De zomer beweegt in slow motion. Wekenlang pesten de zonnestralen huizen, straten, gewassen en hen die zich buiten wagen.

Het bezoek strompelt opgelucht mama's kamer in. We maken met z'n allen opmerkingen die variëren van: 'O wat een heerlijk temperatuurtje hier,' 'Hè hè ik zit,' tot: 'Wat is dat appelsap heerlijk koel,' en: 'Wat heb je het toch goed hier.' Al die geveinsde jaloezie en opgeklopte luchtigheid waar mama als door een wesp gestoken op reageert met: 'Willen jullie misschien ruilen?'

Zij vindt het heet in haar kamer. Ze zweet. Met het bezoek mee wil ze, de vrijheid in, op de fiets of in de auto stappen op weg naar huis. Maar haar rest niets anders dan te wachten, wachten tot het ontbijt wordt gebracht, wachten op het bezoek en dan met name op Ronald, die altijd veel later is dan hij belooft en die soms ook afbelt nadat ze al een uur op hem gewacht heeft. Met enkele collega's wil hij in het najaar de marathon van New York lopen. Naast zijn werkschema houdt hij nu ook een zwaar hardloopschema aan. Voor mama blijven er één à twee korte bezoekjes per week over.

De schoolvakantie is begonnen en Lotta heeft van de schooltuinen twee tassen vol met sla, andijvie en radijs. Ook van klasgenootjes heeft ze groenten gekregen voor haar zieke oma. Alles ligt als koopwaar uitgestald op tafel. De kamer als groentewinkel. Op de grond in mama's kamer leggen Kobus en Frederikke een puzzel van vier katten die tussen de poten van een hond liggen te slapen. Oma bijt in een zanderige radijs. Ik zie haar als Lotta even niet kijkt de radijs uit haar mond halen en hem achter het kussen van haar stoel verstoppen.

Maike komt zwaar hijgend van de warmte de kamer in. Ik weet inmiddels welke M ze is omdat ze een opvallend kenmerk heeft. Als Maike binnenkomt, houden mijn moeder en ik zo lang mogelijk onze adem in. Ze stinkt, en niet zo'n beetje ook. Ze ruikt naar oud zweet. Ze loopt op gezondheidssandalen en daarboven bedekken bruin-zwarte haren haar huid als een zwart-wit gespikkelde legging. Ze gaat het bed van mama verschonen, en als ze het overtrek tussen beide gespreide armen houdt, zie ik haren onder beide oksels samenklitten als de uiteinden van een zwart sisaltouw in de regen. Het zweet drupt zo haar synthetische bloemetjesjurk in. Mama knijpt haar neus dicht en ik zie Kobus zijn hoofd optillen. Hij snuift, trekt met zijn neus en zegt: 'Bah, wat ruik ik, beeeeh.'

'Dat is Maike, die stinkt altijd.' Mama zegt het zo hard dat Maike er wel op moet reageren. Gegeneerd en aangedaan mompel ik iets ter verzachting, maar mijn: 'Nou, dat valt wel mee hoor,' maakt het alleen maar erger. Maike die geheel vrijwillig haar stinkende best doet, verdient het aangesproken te worden in dankbaarheid en bewondering.

Ze is niet de enige die geconfronteerd wordt met mama's nieuwe openheid. Ook ik ben regelmatig slachtoffer van het feit dat ze geen blad meer voor de mond neemt. Zojuist nog heeft ze me uitgefoeterd: ze vond dat de bloemen vers water moesten hebben. Het was een grote bos in een kleine vaas, dus ik was gedwongen ze eruit te halen en opnieuw te schikken. Dat herschikken was in haar ogen niet goed gedaan. Ik had een puinhoop van de vaas gemaakt en moest het maar opnieuw doen. Toen Hélène en ik laatst tegelijk bij haar op bezoek waren – op donderdag tussen vijf en halfzes heeft Boudewijn een paar lanen verderop pianoles – zetten we ons elk aan een voet van mama voor een massage. We probeerden zo de tintelingen waar ze over klaagt weg te nemen. Nog maar net was ik vol overgave aan het kneden toen ze naar mij wees en tegen haar schoondochter zei: 'Wil jij ook de andere voet doen? Zij kan het niet.'

Als ze klaar is met het dekbed gaat Maike verder met het bed opmaken. Ze zegt niets. Ik moet denken aan de man die een paar jaar geleden ons huis vanbinnen schilderde. Hij had het syndroom van Gilles de la Tourette en kon niet stoppen met mij 'takkewijf' en 'hoer' te noemen. Terwijl ik babypap maakte, de lunch klaarzette en de was vouwde, ging de man door met mij uitschelden. En al die tijd deed ik net of ik doof was, alsof hij me met zijn woorden in het geheel niet raakte.

Dat Maike de opmerkingen van Kobus en mama gehoord heeft, bewijst ze tijdens haar volgende dienst. Over haar zweetlucht heeft ze een half flesje van een zwaar oosters parfum leeggegooid. Ik wou maar dat Kobus zijn mond had gehouden.

Thomas en ik wachten. Op de sleuteloverdracht van het huis, op offertes van aannemers, en samen met mama en de medewerkers van de hospice wachten we op de dag die onherroepelijk is: de dag dat het slechter met haar zal gaan.

Een hospice is een soort lopende band voor stervenden. Gemiddeld duurt het twee maanden voor er weer een plekje vrijkomt. Soms wordt er iemand 's ochtends levend binnengebracht en 's avonds alweer dood opgehaald. Mijn moeder is volgens de coördinatrice een heel bijzonder geval. Toen ze haar opmerking plaatste, kon ze er nog een lach bij produceren. De fitnessoefeningen op de hometrainer, het dagelijkse wandelingetje en de nagenoeg lege medicijndoos brachten het personeel in verwarring over de ernst van mama's ziekte.

'Het protocol schrijft vervanging voor.' De stem van de coördinatrice klinkt geagiteerd. De witte deur van haar kamer staat op een kier en ik zie de achterkant van Cornelis' corduroy jasje en zijn zwarte haar dat over de kraag valt. Hij zou geknipt moeten worden, schiet het door me heen en meteen daarna bedenk ik dat 'knippen' neuken betekent in het Deens, dat heeft mijn schoonmoeder me een keer in beschonken toestand verteld.

'Je gaat me toch niet vertellen dat je mevrouw Steen op straat wilt zetten?' Een octaaf lager bromt de toch al hese stem van de huisarts. De envelop met de eigen bijdrage voor een week hospice die ik naar de coördinatrice wilde brengen, glijdt uit mijn hand. Ik buk om hem op te rapen en hoor haar zeggen dat ze het dan nog een week of zes wil afwachten.

In de war maak ik me uit de voeten, ik sluip de trap af en loop direct door naar de tuin voor een sigaret.

In de keuken van de hospice spoel ik de aardbeien schoon die ik zojuist bij de groenteboer in het dorp gekocht heb. Ik zet ze op het nachtkastje en stap naast mama in bed, zoals we vroeger vaak deden als ik moe was en zij voor de gezelligheid naast mij kwam liggen. Ze vindt het fijn, want ze pakt mijn hand, waarmee ze zachtjes haar wang streelt. Als ik begin te zingen, hoor ik haar eerst alleen meeneuriën, maar daarna zingen we voluit. 'Opa bakkebaard', 'Rock My Soul in the Bosom of Abraham' (tweestemmig) en 'Jeruzalem mijn vaderstad'.

Bij het Ave Maria lukt het mama niet meer. Haar stem trilt en kraakt, slaat over, ze kan geen toon houden, heeft ineens een kikker in de keel. We schrikken. Ik probeer verder te zingen, maar ook mijn stem doet raar. De huisarts komt binnen en blijft ons vanuit de deurpost eerst nog met een glimlach gadeslaan. Als hij op het bed komt zitten, weet ik dat aan het onderwerp dat hij ter sprake brengt zijn zojuist gevoerde dialoog met de coördinatrice ten grondslag ligt. 'Als u nog ergens spijt van hebt, lieve mevrouw Steen, of als er iets is wat uw dochter of wie dan ook nog moet weten, dan is dit een goede tijd daarvoor.' Zijn ogen staan meelevend en vragend. Hij ruikt naar zijn Gauloises, vermengd met een stoere aftershave en de geur van koffie. Zijn hand ligt losjes op het dekbed met daaronder mama's been.

Het is vreemd intiem, zoals mama en ik daar samen in bed liggen met de huisarts aan onze voeten en mijn moeder die begint te praten over haar leven. Met haar woorden veegt ze mijn schuldgevoel van tafel, mijn twijfel of ik niet te veel beslag op haar heb gelegd met de kinderen wuift ze weg met een simpel: 'Ik heb nergens spijt van, ik heb alles altijd gedaan vanuit mijn eigen vrije wil. Aan het leven heb ik nooit hoge eisen gesteld. Ik hoefde niet zoals je vader in de schijnwerpers te staan, al was mijn rol niet altijd gemakkelijk.' Ik geloof haar. Ik geloof haar als ze zegt dat ook de jaren na papa's dood tevredenheid en geluk brachten. Niet altijd natuurlijk, niet een voortdurend welbehagen. 'Mensen zoals ik hebben genoeg aan een kabbelend bestaan in de marge, met...' Ze zwijgt even en lacht om beurten naar mij en naar Cornelis. '... Met mijn lieve kinderen en kleinkinderen.' Op dat moment komt Meike binnen met het avondeten voor mama. Aangezien de huisarts over een uur alweer voor een vergadering in het ziekenhuis moet zijn en er in de hospice geen rekening met ons is gehouden wat betreft de avondmaaltijd, nodigt Cornelis me uit voor een eetcafé een paar kilometer verderop. Als hij bij mij de helm bevestigt die hij uit de kofferbak opdiept en ik vervolgens bij hem achterop de motor stap, worden we vanuit de deuropening gadegeslagen door Mieke en Meike. Vooral de laatste kijkt beteuterd, bijna afgunstig, terwijl ze haar handen afveegt aan haar kookschort.

's Avonds, terug in haar kamer, vraagt mama me een rood schriftje uit de la te pakken. Op de laatste bladzijde staat een naam en een adres. Of ik voor haar een afspraak met deze persoon wil maken, liefst zo snel mogelijk. 'Doktersvoorschrift,' mompelt ze erachteraan. Ik schrijf het hele adres over op de achterkant van een kassabon. Ik stop het papiertje in mijn portemonnee en beloof zo snel mogelijk te bellen.

XXII

Op grote ronde tafels staan hagelwitte kaartjes voorzien van roze of blauwe lintjen met een naam erop. Zo weet je waar je moet gaan zitten. Shit, tafelschikking, denk ik terwijl mijn ogen naarstig zoeken naar mijn plaats en ik duim dat ik op z'n minst aan dezelfde tafel ben gezet als mijn echtgenoot. Welgeteld tien mensen ken ik op de bruiloft van Thomas' neef, maar helaas zie ik louter onbekenden rondom mij. De voertaal is uiteraard Deens, wat ik een heel klein beetje versta en al helemaal niet spreek, dus het belooft een heel gezellige avond te worden.

Mijn gedachten gaan terug naar die middag met mama op een bankje.

'Waarom huil je?' vroeg ik haar toen ze even moest uitrusten van haar dagelijkse blokje om terwijl de kinderen op en rond een speeltoestel verderop voetje van de vloer speelden. Ze twijfelde even en zei toen: 'Ik weet niet of ik jullie nog terugzie.'

Thomas had me uiteindelijk toch over weten te halen voor een korte vakantie. Een week Denemarken. We konden in het vakantiehuisje van Iben, een tennisvriendin van Thomas' moeder, en zij zou op de kinderen passen als wij naar de bruiloft gingen. Mijn schoonmoeder had de afgelopen weken eindeloos aan de lijn gehangen om vooral mij voor haar plannetje te bewerken. Het zou geweldig zijn als Thomas en ik op de bruiloft konden komen. Thomas' neef, met wie hij in de zomers van zijn jeugd zoveel gespeeld had in het vakantiehuis in Skagen, trouwde met een Deense tv-persoonlijkheid. De bruiloft zou zelfs de SE & HØR halen. 'Dat tijdschrift heeft evenveel lezers als Story,' had mijn schoonmoeder trots verteld. Thomas kon zich de neef nauwelijks herinneren, maar hij hield wel van de muziek die de band Sprutskabet maakte, en zijn neef was de bassist van die band.

Mama stopte de kinderen bij het weggaan alle drie een rolletje drop toe. 'Voor in de auto, maar niet allemaal tegelijk opeten hè?'

'Nee, oma,' zeiden ze braaf.

Het was voor mij moeilijk om juist nu weg te gaan. Mama klaagde sinds een paar dagen over pijn tijdens zitten en liggen. 'Het komt door het te dunne kussen in de stoel, het te harde matras...' beweerde ze. De verpleegkundige in de hospice had haar secondelang alleen maar aangekeken en daarna enkel een hand op mama's schouder gelegd, met de woorden: 'Misschien wordt het nu toch tijd voor wat sterkere pijnstillers.'

Iben had ons niet gewaarschuwd voor het feit dat haar vakantiehuisje in Gilleleje een voorproefje betekende van onze verbouwing aan de Kersenlaan. Het huisje werd gerenoveerd, wat inhield dat we buiten moesten douchen, onder een tuinslang die over een houten balk hing. De balk lag vlak naast een rozenstruik met enorme doorns. Het regende de hele tijd zodat het warme douchewater zich onaangenaam vermengde met de koude regendruppels. Toen we

eindelijk eens een keer in de tuin konden ontbijten, belaag-
de een zwerm wespen onze zelfgemaakte bramenjam. Frederikke kreeg een wesp binnen die in haar tong stak. De
spoelbak van de wc werkte niet goed; een emmer bood uitkomst, maar de kinderen vergaten dat nogal eens, zodat er
in het huisje een constante urine- en poeplucht hing. Het
goede nieuws was dat we via de internetverbinding – die
overigens steeds uitviel – contact konden leggen met Bartosz.

Via een vriend van Dimitri waren we aan het Poolse aan-
nemersbedrijf gekomen dat onze verbouwing zou gaan uit-
voeren. De beslissing te kiezen voor Bartosz en zijn kornuiten viel toen we samen aan een biertje zaten in de tuin van
Kersenlaan 5. De uitbouw, de douche boven, nieuwe elektra
en zelfs al het schilderwerk konden voor minder dan een
ton gedaan worden en alles zou voor de kerst klaar zijn.
'*There are no problems, only issues,*' sprak Bartosz nadat hij in
één teug zijn bierflesje had geleegd. Om zijn woorden
kracht bij te zetten, hakte hij in het plafond van de bijkeu-
ken, waar volgens hem asbest in zat, en nam een stuk van
het materiaal in zijn mond.

Vanuit het vakantiehuisje lukte het me na vele malen
proberen om telefonisch een afspraak te maken met de
vrouw om wie mama had gevraagd. Nadat ik de telefoon
voor de zoveelste keer had laten overgaan, hoorde ik de vermoedelijk analoge lijn ouderwets kraken.

'Met mevrouw Harper.' Een hese, vriendelijke stem op
leeftijd.

'Dag, u spreekt met Marieke Steen, ik bel in naam van
mijn moeder, mevrouw Steen.'

Stilte. Geen teken van herkenning.

'Mijn moeder komt binnenkort te overlijden. Ze heeft

me gevraagd u te bellen.' De vrouw beloofde me, nadat ik haar het adres van de hospice had gegeven, op korte termijn bij haar langs te gaan. Ze had al opgehangen voor ik haar kon vragen naar de connectie tussen haar en mijn moeder. Het adres had ik gedachteloos ergens in mijn portemonnee gestopt.

Wat de tafelschikking betreft: Thomas zit goed. Hij is geplaatst naast Mette. Het meisje dat, zo vertelt mijn schoonmoeder me elke keer als ze de kans krijgt, de vrouw van Thomas zou zijn geworden als zij het voor het zeggen had. Wat erger is: Mette is alweer een tijdje vrijgezel. Ze is op jacht; ik zie haar naar zijn hand grijpen nog voor Thomas zijn stoel naar achteren trekt.

Mijn plaats is aan de tafel achter die van mijn echtgenoot. Wat inhoudt dat ik de hele avond zicht heb op het decolleté van Mette en de neus van mijn man die daar zo ongeveer in lijkt te huizen. Mijn tafelheer spreekt geen Deens maar Engels, dus dat valt mee, denk ik in eerste instantie. Het valt niet mee: hij is een Schotse professor die nog niet met pensioen wil gaan omdat hij eerst de wereld moet redden van de ondergang. Terwijl hij zich naar mij toe buigt en zijn onwelriekende adem recht mijn neusgaten in blaast, zaagt hij maar door over zijn onderzoek naar de muskusrat in de Deense wateren en slaat op tafel van pret als hij ontdekt dat ik Nederlandse ben.

'Muskusratten vormen ook in de Nederlandse rivieren een levensbedreigend gevaar, door via ondergrondse gangenstelsels de dijken en slootkanten te bedreigen, waardoor uiteindelijk heel Nederland onder water zal lopen,' vertelt de Schot terwijl Mette mijn man voert. Ik zie hem sla, garnalen, ananas, eendenborst, kalfsfricandeau en crème brûlée van haar uitgestoken vork af lebberen. Vooral de garnalen en de eendenborst maken me woest. Die lust hij helemaal niet. Hij zit het op te zuigen als heeft ze haar tepels eigenhandig aan haar vorkje geprikt.

Als alle gasten zich naar de dansvloer begeven voor de traditionele bruidswals als officiële aanvang van het feestgedeelte, bedank ik mijn tafelheer vriendelijk voor het onderhoudende diner, ik sta op en trek Thomas onder Mette vandaan. Rond het bruidspaar staan de genodigden te klappen en te joelen. De kring sluit zich dichter en dichter om hen heen, tot de mannen de bruidegom de lucht in tillen, zich van zijn schoenen ontdoen en volgens goed Deens gebruik het voorste deel van de sok afknippen. Van de bruid zie ik de helft van de bruidssluier in de tas van een stokoude tante belanden.

Daarna is het even, heel even alleen maar fijn. Thomas pakt me stevig beet en samen met zo'n veertig andere paren zwieren en zwaaien we over de dansvloer. Als hij me wil zoenen – het verlangen schroeit net als vroeger in zijn ogen – word ik op de rug getikt en eist Mette haar 'favoriete tafelheer' op. Ik sis in Thomas' oor dat ik moe ben en naar mijn kamer wil, half in de veronderstelling dat hij me zal volgen. Het volgende moment is hij verdwenen tussen de dansers rondom hem. Zijn hand met de trouwring zoekt de mijne nog even, hulpeloos boven de menigte uit zwaaiend.

In de hoek van de brede trap staat een van mijn tafelheren tegen de houten balustrade met uitgesneden adelaars geleund. Ik had het zo druk met Thomas en Mette in de gaten houden dat ik me nu pas realiseer wat een knappe vent het is. Hij heet Mads. '*What are you doing in that beautiful dress, alone on the stairs, my lovely?*' Hij praat zo lief. Hij heeft een kuiltje in zijn wang. Met de twinkeling in zijn ogen wint hij me voor zich. Thomas is een lul. Ik ben eenzaam en zielig, mijn moeder gaat dood en mijn vader...

Mads heeft een neus voor vrouwen zoals ik. Hij ruikt het als ze openstaan voor een avontuurtje. Het is een hengel uitgooien naar een stel hongerige karpers op één vierkante meter. Een rasversierder. Hij duwt me tegen een hoek van de trap. Hij vist een sigaret uit zijn Armani-jasje en steekt hem tussen mijn lippen, maakt hem vervolgens aan met zijn eigen sigaret en voor ik het weet staan we vuur te zoenen. Hij vertelt dat hij tijdens het diner zijn ogen niet van me af kon houden. Ik weet dat hij liegt. Zijn tafeldame was een hoogblonde, Scandinavische schone wier handen hij voortdurend en grondig bestudeerde. Nu wisselen we wat formaliteiten uit. Hij is slechts een kennis van het bruidspaar. Ik weet dat ik me ga gedragen als een eersteklas bitch, een slet, een hoer.

Even protesteer ik nog, als hij zijn hand onder mijn jurk laat glijden, toon ik hem mijn ring. 'Ja, ik weet wie je man is, die heeft op dit moment mijn ex-vriendin Mette op schoot, dus ik zou me over hem niet al te druk maken.'

Mads kent de weg in dit landhuis annex hotel blijkbaar goed. Hij neemt me mee via verschillende ruimtes die door smalle gangen met elkaar in verbinding staan naar de keuken, waar een deur aan de achterkant uitkomt op een soort opslagruimte met biervaten en flessen sterkedrank. In de hoek staan zakken opgestapeld met iets zachts erin; meel of zo en daar duwt hij me tegenaan terwijl hij me zoent en mijn lippen en hals likt. Hij frunnikt aan de knoopjes van mijn jurk en zijn onderlichaam rijdt tegen me op.

Hoe hoog zijn testosterongehalte is, voel ik door de dunne stof van mijn jurk. Zijn onstuimige verleidingskunsten laten me voor even alles vergeten. Als de jurk van me afglijdt, doet hij een stap achteruit en bekijkt me van top tot teen. Ik draag mijn mintgroene Esprit-setje. Zeker geen haute-couturelingerie, maar toch ook niets om me voor te schamen.

Ik word onzeker van zijn blik. Er komt iets hards in zijn ogen. De kleur verandert. Niks geen sterretjes, geen twinkeling. Louter staal. Met één handige beweging knoopt hij mijn bh los en trekt hem van mijn schouders. Nu kijkt hij naar mijn borsten. Ik voel mijn tepels nog harder worden onder zijn blik. Ik weet dat er wat donkere haren rond de tepelhof zitten en ik baal ervan dat ik ze niet heb weggehaald.

'*Uhm... very small tits, you have,*' zegt hij. '*And they are hanging a bit too.*' De teleurstelling druipt uit zijn stem, de bobbel in zijn broek lijkt voor mijn ogen te verschrompelen. Even weet ik van verontwaardiging niets te zeggen. Verbijsterd stamel ik: '*I am very sorry, but I am not twenty anymore, you know.*'

Mads aarzelt even en trekt dan mijn slipje naar beneden. Hij zet de punt van zijn linkerschoen tussen mijn benen en duwt het zo omlaag. '*Like I thought hairy.*' Ongeloof en afschuw klinken door in zijn stem.

Op dat moment gaat mijn telefoon. De hele week houd ik hem angstvallig bij me. Ook al heb ik ervoor gekozen met mijn gezin op vakantie te gaan, als mama me belt en me nodig heeft, neem ik het eerste vliegtuig naar huis. Ik moet bukken, want het mobieltje ligt onder de jurk op de vieze, door een zwak tl-licht beschenen vloer. Op de display zie ik een Nederlands nummer. Mijn broer. Met trillende vingers druk ik het groene hoorntje in terwijl ik me afwend van de starende blik van Mads, vast en zeker gericht op de striae op mijn buik die sinds de geboorte van Kobus niet weggetrokken zijn. 'Is ze dood? Is ze dood?' Ik slinger mijn vraag de telefoon in, knijpend in het toestel tot al het bloed uit mijn vingers is. Ik ben ervan overtuigd dat hij 'ja' gaat zeggen, dat mijn leven op dat moment met haar einde eveneens ophoudt te bestaan. Dat ik er niet bij was zoals ik haar beloofd heb, dat ze vandaag, net na middernacht overleden is... 'Nee zus, niets aan de hand. Ik wilde je alleen vertellen dat ik sinds gisteren een nieuwe auto heb. Ik kon er niet van slapen. Ik dacht: Wie zal er op dit uur van de nacht nog wakker zijn?' Hij babbelt verder over de vierwielaandrijving, de waterafstotende zijruiten en de zesversnellingsbak van zijn Volvo. Mads heeft ondertussen zijn lust hervonden, waarschijnlijk door het uitzicht op mijn nog altijd ronde billen. Het slipje ligt als een dweil rond mijn enkels. Terwijl ik voorovergebogen met mijn ellebogen op een van de hoge krukken naast de kratten met aquavit leun, benadert hij me van achteren, onder luidruchtig gehijg en gegrom. 'O sorry sorry, zus, ik hoor dat jij en Thomas met hele andere zaken bezig zijn, ga vooral door waar je mee bezig was.' Zachtjes grinnikend verbreekt Ronald de verbinding.

Ik geef een elleboogstoot naar achteren en raak Mads onder zijn oog. Met venijnige bewegingen trek ik mijn slipje weer naar boven. Ik pak mijn jurk op van de vloer en steek mijn armen door de mouwen. Terwijl ik vluchtig de knoopjes dichtmaak, zegt hij verbouwereerd: '*Why not finish the job, dejlig skat?*' Ik zie nu pas het rood in zijn ogen, hoor de dubbele tong waarmee hij praat. Het doet me goed dat daar waar ik mijn elleboog heb geplant zich het eerste blauw van gescheurde haarvaatjes aftekent. Ik geef er een kus op en na mijn '*nej tak*' verlaat ik de opslagruimte.

Als Thomas nauwelijks een uur later naast me komt liggen en zijn arm om me heen slaat, kan ik uit zijn gebaren opmaken dat er tenminste nog één integere figuur in deze kamer is. Hij heeft Mette met geen vinger aangeraakt, daarvan ben ik overtuigd. Uit schaamte houd ik me slapende terwijl ik me opgelucht realiseer dat er ook bij mij niet echt iets is gebeurd. Ik ben niet vreemdgegaan. Ik heb niets op te biechten.

Interludium

De Convex-klok heeft een kwartier geleden één uur geslagen. Ik ben laat, maar wil eigenlijk nog wat pagina's afronden in het verhaal van de jonge vrouw. Ik troost me met de gedachte dat ik nu dik over de helft ben en dat daarna de redactie van mijn tekst meestal sneller gaat. Met name opzet en structuur zijn urenvreters. Het verhaal neemt het bij een sterke structuur automatisch over, ontrolt zich als het ware vanzelf. Daar komt nog bij dat ik vorige week de laatste hoofdstukken heb geschreven, die zijn gemakkelijker te corrigeren. De deadline zal ik hoogstwaarschijnlijk halen, al zal ik zeer strak met mijn tijd moeten omgaan. Wat betreft de vrouw die aan het eind van de middag terugkomt: zo geduldig als ik vanochtend was... dat zit er voor dadelijk niet in.

Chanel Rouge nummer 528. Zijn lievelingslippenstift. Ik weifel even voor ik hem toch uit mijn la pak. Het is tenslotte nu niet meer dan een doodgewone lunchafspraak en hij zou het als een insinuatie kunnen opvatten. Resoluut kleur ik voor de spiegel bij de kapstok mijn lippen rood: mooi wil ik zijn ook zonder reden. Lichtelijk nerveus ben ik, want ik weet hoe vervelend mijn lunchpartner het vindt als hij weer eens lang op mij moet wachten; hij heeft minstens zo'n druk schema als ik. Op de gang klop ik zonder resultaat op de deur van de huisarts. Aan de muur in de wachtkamer hangen wat receptenbriefjes slordig achter het elastiek. Op een van de stoelen ligt een tijdschrift en een legohuis wacht op de speeltafel om afgebouwd te worden. Gejaagd nu, draai ik me om. Mijn hakken klikken op de marmeren trappen.

Eenmaal buiten knijp ik even mijn ogen dicht tegen het felle buitenlicht, een tram raast voorbij, fietsers passeren elkaar luid bellend over het smalle pad. De stadsadem verspreidt een geur van autogassen, niet-opgehaald vuilnis gedrenkt in een frisse wind met gemaaid gras van het parkje naast de praktijk. Een spatje regen wrikt zich los van een zonnestraal. Drie straten verder sla ik links af, daar ligt het statige hotel-restaurant Imperial. De brasserie op de begane grond zit tjokvol, zie ik als ik langs de ramen loop. Elke tafel en elke stoel is bezet. Mannen en vrouwen in pakken, de stropdas losgetrokken, de handtas in de vensterbank tentoongesteld. Onder het mom van zakelijke besprekingen persen mensen hun hongerige lijven in de krappe ruimte tussen bank en tafel. In de hoek kruipen een grijsaard en een meisje – beiden in pak – dicht tegen elkaar aan. *The Lonely Planet* prijst het restaurant aan als een plek waar geslaagde Nederlanders samenkomen. In de tijd dat mijn minnaar en ik onder dit dak het bed deelden, ontlokte die formulering ons een besmuikte lach.

Ik loop de gang door en laat de brasserie zoals gewoonlijk links liggen. De baliemedewerkster knikt me toe als ik voor de lift in de hal sta te wachten. Dit is de balie voor het hotelgedeelte, met kamers die namen dragen als Frans Hals, Henric Avercamp en Vermeer, naar de reproducties boven de boxspringbedden. De Bray was onze favoriete kamer. Hier tekende zich de laatste stuiptrekking af van een zwarte periode uit mijn leven. Hier nam ik het medicijn van zijn lichamelijke liefde tot me. Ja, ik weet het, ik ben net als mijn klanten. Ook ik heb mijn verhaal, vol zwakheden en schaamteloze acties. Feilbaarheid is eigen aan ons allen, geen mens is zonder zonden. Het gaat er niet om wat eenieder overkomt, bepalend is hoe we omgaan met de teleurstellingen.

Een halfjaar geleden, toen ik sterk genoeg was om mijn verantwoordelijkheden weer op te nemen, heb ik een punt gezet achter de lichamelijke bekrachtiging van onze relatie. Als twee verslaafden hebben mijn minnaar en ik ons samenzijn afgebouwd, van dagelijks naar wekelijks tot wat er overgebleven is: wat gestolen momenten, een samentrekking van mijn maag bij de herinnering aan zijn naakte lichaam, een steelse aanraking op een onbewaakt ogenblik en natuurlijk onze lunchafspraken hier.

Als ik de poort naar het terras openduw, verschijnen de lange tafels op het ruimtewinnende platte dak van het gebouw. Alleen genodigden op speciaal verzoek van de general manager zijn hier welkom. Zelfs blind zou ik hem kunnen vinden. De geur van sigaretten, Davidoff-aftershave en koffie bedwelmt me ogenblikkelijk. Een geur die me terugbrengt naar De Bray, een bed met daarin onze lichamen. Naar een verleden waarin ik hem in de schouder beet, ik hem at en hij mij, dierlijk, vlees op vlees. Hij likte de spanning uit mijn lijf, ik kneedde zijn pijnlijke spier.

Nu zijn er nog slechts de blikken die we elkaar toewerpen boven de salades van eendenborst na het dagelijkse proosten op het leven. Net als elke dag bedankt hij me aan het eind voor de lunch en raakt heel even vederlicht mijn hand aan.

Als hij de deur voor me openhoudt en ik naar buiten stap, komt er net een schoolklas voorbij. Een schok, mijn blik kruist die van een meisje dat ik herken uit de musical-les van mijn dochter. De opluchting daarna als ik bedenk dat een lunch met iemand die in hetzelfde gebouw werkt als ik volledig legitiem is.

Weer achter mijn bureau eet ik een perzik. Ik knoei op mijn witte blouse en probeer het met water te verwijderen in het keukentje. De deur naar de praktijk van de huisarts is al gesloten, de wachtkamer goedgevuld. Ik trek me terug op mijn kamer. Haal de jaloezieën omlaag en neem plaats achter mijn bureau. Nog altijd voel ik de tinteling van zijn hand op mijn huid. Zelfs nu alles voorbij is, kost het schakelen van ontspanning naar inspanning oneindig veel energie. Mijn blik valt op de foto van mijn man en kinderen naast het computerscherm. Even ondersteun ik met mijn handen mijn voorhoofd, ik leun voorover en probeer mijn concentratie te hervinden. Korte tijd later vormen de letters op het scherm zich om in woorden en vult het verhaal dat de jonge vrouw me verteld heeft, mijn gedachten.

XXIII

'Marieke, ik ben bang dat ik stik.' Met mijn mobieltje aan mijn oor kijk ik vanachter mijn bureau op het werk uit over de gracht. Een meeuw met een enorme broodkorst in zijn bek vliegt voorbij en strijkt neer op de paal waar mijn fiets aan vaststaat. Ik zie hem een witte klodder over mijn zadel uitwerpen. Mijn geruststellende woorden kalmeren mama enigszins. Als ik de telefoon neerleg, heb ik de beslissing al genomen.

Mijn baas knikt ter goedkeuring en zegt dat hij me wel ziek zal melden of zoiets maar op de gang word ik aangeklampt door roostermaker Kitty. Ze zegt: 'Ik snap dat het moeilijk is, maar verliezen we niet allemaal vroeg of laat onze ouders? Jouw moeder is toch al best oud? Dan kun je toch niet ineens weken wegblijven? Het zou wat zijn als we dat allemaal deden.'

Ik duw Kitty opzij en loop zonder aarzelen naar mijn fiets, ga zitten op het zadel met vogelstront. Ik ga mijn moeder helpen sterven.

Alles was anders bij onze thuiskomst uit Denemarken. Cornelis, de vervangende huisarts, was weg. De vaste huisarts van de hospice kwam al na zes weken terug van zijn Afrikaproject, hij vond de misère daar toch te confronterend.

Mama had haar laatste blokje om met de fysiotherapeut gemaakt op de dag van de Deense bruiloft. Minder dan honderd meter voor de hospice was ze in elkaar gezakt. De dienstdoende vrijwilligsters moesten haar gezamenlijk op een brancard terug naar haar kamer tillen. Nu slikt ze pijnstillers alsof het snoepjes zijn, de morfinedrank is niet aan te slepen. Spruw, de schimmelinfectie waar Lotta als baby last van had, bedekt haar tong, haar mondhoeken, haar smaakpapillen. Er loopt een navelstreng van haar neus naar het zuurstofapparaat naast het bed.

Eten slurpt ze met veel tegenzin op met een rietje, het glas water laat ze staan. Hoe lang is het geleden dat we met z'n tweetjes een restaurant bezochten? Ik weet nog dat de wijnkaart haar ook die keer niet kon bekoren; ze dronk met een gelukzalige glimlach op de lippen haar Spa Blauw en liet de hele fles chardonnay aan mij over.

Zelfs haar geur herken ik niet. Ze ruikt naar een gymzaal vol sporters met potdichte ramen. Maar ook naar een mengeling van gedroogde uitwerpselen en koude thee, een gebruikt schoonmaakdoekje dat nat in de kast is gestopt.

Als ik 's ochtends vroeg op haar kamer kom, ligt ze nog te slapen. Vredig, niet gekweld door pijn, al gaat de ademhaling moeizaam. Haar borstkas komt steeds met een schok omhoog; bij het neerdalen ervan laat ze in drie pufjes lucht ontsnappen. Ik strijk over haar haren. Ze ontwaakt, slaat haar ogen op en zegt: 'Dat is lekker wakker worden.' Iemand komt binnen om mama te wassen en brengt als ontbijt een 'oxazepam-shake'. Machteloos voel ik me tegenover de oorlog die in haar lichaam woedt. Om mijn tranen te verbergen, draai ik me om naar de muur. Er hangt een versje van Lotta: *Oma wat zou ik zonder jou moeten? De groete met het leuke leve. Maar ik blijf je nog altijd mijn lievde geve.* Mijn lichaam reageert zintuiglijk op de woorden. De haartjes op mijn armen gaan overeind staan en ik krijg het verschrikkelijk koud. Tranen stromen over mijn wangen, mijn lichaam schudt en schokt. De verpleegkundige legt een hand op mijn schouder. 'Kom, pak je moeder maar even beet.'

Ik verlang terug naar die weken in Limburg toen ik er voor haar was, samen met haar. Naar de intieme momenten die ik ook met Ronald had. Nu begrijpen wij elkaar niet meer. Ik vind het raar dat hij mama zo weinig bezoekt terwijl het voor hem maar tien minuten fietsen is. Dat hij niet alleen de vergaderingen en bijeenkomsten op zijn werk, maar ook zijn hardlooptrainingsschema niet schijnt te kunnen omgooien voor wat laatste momenten met zijn moeder. Ronald noemt mijn 'continue aanwezigheid' in de hospice dweperij. De spanning is te snijden als ik een keer op zíjn vaste bezoekuur op dinsdagavond met Lotta de kamer van mama betreed. Tien minuten later wil hij vertrekken. Drie is volgens hem te veel.

'Gisteren zaten we hier met ons vijven aan de bananencake van tante Toon, dat vond jij toch juist gezellig, mama?' zeg ik terwijl Ronald zijn jas aantrekt. Ze gebaart naar me dat ik mijn mond moet houden. 'Je broer kan nou eenmaal niet tegen onverwachte situaties, hij wil grip hebben,' verdedigt ze hem later. Ik moet op mijn tong bijten om het niet uit te schreeuwen: En voor jou mama, wat is er belangrijk voor jou?

Ik pak de kleren uit haar kast. Ze heeft ze niet nodig voor de reis die ze gaat maken. 'Ruim het maar vast op,' zegt ze, 'dan hoeven jullie dat straks niet meer te doen.' Na de waterval van zojuist lijken mijn tranen op. Nog altijd voel ik die brok in mijn keel, en als ik naar mama kijk, naar haar ingevallen wangen, de lodderige, bijna lethargische uitdrukking in haar ogen, komt het maagzuur bij me naar boven. Met een hand voor mijn mond slik ik een paar keer, ik draai me weer om naar de kast. Vesten, T-shirts met lange mouwen en broeken van stretchstof leg ik in nette, gevouwen stapeltjes in de weekendtas terwijl mama zich in de stoel laat zakken. We keuvelen wat. We praten over koetjes en kalfjes terwijl mijn handelingen vooruitlopen op het naderende einde. Het einde van ons samen, het einde van haar. Mijn stem verraadt opnieuw mijn droefenis, slaat over. Ze zegt: 'Het geeft niet, het is ook moeilijk.' Geen paniek meer, volkomen kalm is ze.

Ik begin maar over de Poolse bouwvakkers, hoe ze direct na het tekenen van de koopakte begonnen met slopen. Hoe goed en snel ze dat doen: de derde container wordt vandaag opgehaald. Ik vertel over de directeur van De Klaproos, de basisschool die Thomas en ik in eerste instantie, vanwege de ligging en het advies van de buurvrouw, hadden uitgekozen als nieuwe school voor onze kinderen.

'Je oudste dochter is geen probleem, voor de anderen' – terwijl hij het zei, spuugde hij een druivenpit uit in de prullenbak – 'is er geen plaats.' Ook nadat ik bijna op mijn knieën had gelegen en de schoolgids onder zijn neus had geduwd, kwamen er geen plekken vrij. *Ieder kind is welkom op onze school. Uw keuze geeft ons het vertrouwen* stond er voor in de gids, die ik later op het verlaten schoolplein in de afvalbak heb gesmeten.

Mama leeft tijdens mijn klaagzang met me mee. Ik klets over de toekomst en beiden spreken we erover alsof zij daar nog deel van zal uitmaken.

Is het de morfine? Of ligt de verklaring voor haar opge-
luchte, bijna euforische bui bij het gesprek dat ze voerde
met de kennis die ik voor haar moest bellen?

Ze praat ineens ook weer over hem, over mijn vader. Alles wat hij voor haar gedaan heeft, wat hij mooi aan haar
vond. 'Rood is jouw kleur, zei Huib altijd. Marieke, kun je
even mijn rode lippenstift pakken? Hij zit in de toilettas in
de kast.' Ze smeert haar hele mond onder en vraagt vervolgens om het zijden sjaaltje dat papa voor haar uit Rome
heeft meegebracht. 'Mama, dat sjaaltje is van meer dan
twintig jaar geleden. Dat ligt nog in Limburg.'

In de auto terug naar huis besluit ik dat we haar sjaaltje
dan maar moeten gaan halen. Thomas, de kinderen en ik
zullen dit weekend doorbrengen in het huis van mijn moeder.

Voorzichtig open ik de slaapkamerdeur, alsof ik bang ben
haar wakker te maken. Een briesje komt me tegemoet. Ik
strijk met mijn hand over haar opgemaakte bed. De vitrage
voor het raam bolt op. De kamer ademt leven, oogt ver-
trouwd, als is mijn moeder hier vanochtend wakker geworden. Het sjaaltje vind ik uiteindelijk in een doos onder in
haar kledingkast. Een wit doekje is het, met een Trevi-fon-
tein in elke hoek. Een lelijk, kitscherig ding naar mijn
smaak.

Van tevoren heb ik de buurvrouw van onze komst op de
hoogte gesteld, en zij moet het raam hebben opengezet
voor we aankwamen. De tuin heeft een gezonde, groene
grasmat en bloeiende prunussen, klaprozen en gladiolen;
de buurjongen heeft meer dan zijn best gedaan. Zelfs de
takken van de kastanjeboom in de voortuin zijn gesnoeid.

Beneden hoor ik Thomas de kinderen tot stilte manen.

Uitzinnig waren ze toen we vertelden dat we dit weekend naar oma's huis zouden gaan. Het leek als vanouds, de rit ernaartoe. Bij aankomst deden Thomas en ik snel alle lichten aan. De kinderen waren in de auto in slaap gevallen en werden pas wakker toen we ze op de vaaloranje bank in oma's woonkamer zetten.

Met elkaar aan de ronde tafel, met voor ons de lievelingsvlaai van oma, overviel de onomkeerbaarheid van de situatie ons. Lotta begon te huilen. 'Nou we hier zijn, lijkt oma al dood,' zei ze. Het was het moment waarop we gewacht hadden, we hoefden alleen nog maar op haar opmerking in te haken. Heel voorzichtig brachten we onze kinderen op de hoogte van het feit dat hun oma niet meer beter zou worden. De woorden hemel, engeltjes en God nam ik in de mond alsof ik zelf daadwerkelijk in het hiernamaals geloofde. Na afloop huilden we allemaal. Kobus nog het hardst, maar dat was, besefte ik iets te laat, omdat ik mijn stoelpoot tijdens het praten op zijn voetje had geplaatst.

Laat haar geheugen haar nu ook al in de steek? Ik ben even naar de zolder gelopen om het kentekenbewijs deel III te zoeken. Ronald en mama waren het erover eens: haar auto, waar ik toch al een tijd in reed, zou ik op mijn naam zetten. Op zolder in de map met de verzekeringspapieren zit deel III, had mama beweerd. De map ligt zonder het kentekenbewijs voor me. Drie keer heb ik hem nu helemaal leeggehaald.

Gedachteloos pak ik de map die eronder ligt. Een krantenartikeltje dwarrelt op de grond. Terwijl ik het terug wil stoppen, valt mijn blik op een naam: *Josephine Heloïse Harper*. Het is geen krantenartikel maar een overlijdensadvertentie. Ze was maar zeven jaar ouder dan ik, toen ze stierf, lees ik. Overleden in hetzelfde jaar als papa; precies een maand later. Ze draagt dezelfde achternaam als de vrouw die ik voor mama moest bellen. Uit de advertentie maak ik op dat de vrouw geen man en kinderen achterliet.

Ik stop het overlijdensbericht achter in de rode map, die verder gevuld blijkt te zijn met brieven en kaarten vol troostende woorden, gestuurd aan mijn moeder na de dood van papa. Ik lees er een paar, maar word er zo somber van dat ik alles in een plastic zak achter in de berging gooi.

Op de terugweg in de auto belt Bartosz of we nog even langs kunnen komen bij ons huis aan de Kersenlaan. Hij wil ons wat laten zien. Bovendien heeft hij weer geld nodig. Al die werklui, dat loopt in de papieren, dat moeten wij toch ook begrijpen?

Het huis geeft vanaf de straat een spookachtige indruk. Op de begane grond en op de tweede verdieping werpen vanuit het zwart twee bundels neonlicht hun blauwe stralen door de ramen, op de tussenverdieping is alles donker.

Binnen treffen we een bouwval aan. Over een houten loopplank worden we naar de woonkamer geleid. Onder ons geen vloer, maar buizen die hangen in greppels van zand, als loopgraven. In een hoek van de woonkamer komt net het plafond naar beneden bij wat ooit de uitbouw moet gaan worden. Een bouwvakker zonder helm doet doodkalm een stap opzij en gaat door met op de muur rond de open haard inhakken. Na vijven niet meer met de drilboor werken, was de afspraak na ons eerste telefonische contact met de buurman. Dat was om elf uur 's avonds. De Polen nemen het, ondanks mijn inspanningen hen daarop te wijzen, niet zo nauw met het begrip geluidsoverlast. Ik knijp een oogje dicht, want daardoor is er een redelijke kans dat het werk op tijd afkomt. Zes dagen per week wordt er gewerkt vanaf acht uur 's ochtends totdat Bartosz zegt dat de mannen mogen stoppen.

De aannemer staat in het midden van de kamer, naast een badkuip in plastic verpakt. Bartosz zegt trots dat het Pools fabricaat is. Ik kijk ernaar en uit mijn bedenkingen over de maat. '*Normal size in Poland*,' krijg ik als antwoord. Ondertussen betasten Thomas en Bartosz de nieuwe kranen. Alles wordt ingefreesd. Wat Bartosz ons vertelt, klinkt mooi en alles ziet er goed uit. We steggelen wat over de prijs en we overhandigen hem door onszelf gemaakte bouwtekeningen. Geld voor een architect hadden we niet. De nieuwe indeling van de zolder staat erop. Het is ons uiteindelijk gelukt twee kamers, een berghok, een cv-ruimte, een washok en een piepklein badkamertje op vijfendertig vierkante meter in te passen. Terwijl Thomas het zojuist gepinde maximumbedrag in Bartosz' handen drukt en de aannemer er een ontevreden blik op werpt, krijg ik van hem de volgende opdracht mee. Zo snel mogelijk moet ik laten weten waar alle lichtpunten in de woonkamer gerealiseerd moeten worden. Ik luister nauwelijks nog. Zojuist heb ik bedacht dat we, als we opschieten, ook nog wel even bij mama langs kunnen gaan om haar het sjaaltje te geven.

XXIV

Haar lichaam wordt een kooi. Haar kamer een dierentuin waar dagjesmensen zich verzamelen voor de broodnodige rust. Na het drinken van het kopje thee, het neerzetten van het cadeau en het bestuderen van den stervenden mensch, keren de bezoekers huiswaarts. Opgelucht dat de dood hun vooralsnog niet in de schoenen wordt geschoven.

Thomas is voor een paar dagen naar Denemarken. Zijn moeder wordt vijfenzestig en ze heeft de hele tennisclub, inclusief alle tennisleraren, afgehuurd voor een 'volwassen feestje'. De hint stoorde me in het geheel niet. Ik was vanwege mama toch al niet van plan mee te gaan en ik heb dankbaar gebruikgemaakt van het excuus dat ik voor de kinderen moest zorgen.

Als ik met Lotta, Kobus en Frederikke bij mama op bezoek ben, gaat mijn mobiel. Het is de buurvrouw van de Kersenlaan. 'Ze komen bij ons door de muur,' zegt ze, waarbij haar koele toon de ingehouden woede verraadt. Voor ik doorvraag naar de details en ik mijn excuses aanbied, loop ik even naar de gang. Het lijkt me beter dat mama de stress, die onmiddellijk bezit van me neemt, niet meebeleeft.

De muren tussen ons huis en die van de buren zijn dun. Zo dun dat we, toen wij laatst met Bartosz de inrichting van de keuken bespraken, woordelijk getuige waren van een ruzie tussen de buurman en de buurvrouw. Later analyseerden Thomas en ik wat we ervan hadden opgevangen en kwamen we samen tot de conclusie dat het de baas van de man moest zijn, met wie een van hen de nacht zou hebben doorgebracht. Dat we niet wisten wie van de twee dat was, kwam louter en alleen doordat Bartosz in het Pools begon te schelden op een van zijn werklui, waardoor het gesprek aan de andere kant plotsklaps verstomde.

De buurvrouw brengt me staccato bij hoe het is gesteld met haar muren nadat de Polen door de meterkast hebben geboord. Gelukkig net geen leidingen geraakt. Hulpeloos hang ik even later op. Ik heb haar beloofd dat ik langs zal komen om de schade op te nemen, maar wat moet ik verder doen? Wat kán ik doen?

Terug in mama's kamer heeft Kobus zijn glas limonade omgegooid over de tekening die hij voor oma had gemaakt. Hij brult het uit van verdriet. Hij is ontroostbaar en zet het hele huis op stelten. De vrijwilligsters zuchten van opluchting als ik met Kobus in mijn armen en de andere twee aan mijn been gehaast het huis verlaat. 'Ik mocht toch nog een koekje?' zegt Kobus tussen zijn huilbui door.

Bartosz neemt zijn telefoon niet op, dus in het huis van de buurvrouw vraag ik of ik foto's mag maken als bewijs, omdat Bartosz vanzelfsprekend de schade gaat betalen. Niet alleen in de meterkast, maar ook in de keuken zitten er scheuren in de muur. De buurvrouw is niet boos meer; zelfs als Frederikke op het toilet een beeldje kapot laat vallen dat ze uit de letterbak in de woonkamer had gepakt, blijft ze vriendelijk. Wel waarschuwt ze me nog even: 'Die Polen van jullie voeren overdag niet veel uit, hoor. Ik zie ze of in de schuur zitten of ze liggen in de tuin te maffen. Jullie moeten er veel meer bovenop zitten.' Ik bedank haar voor de tip.

In ons nieuwe huis wijs ik naar de muur en maak boze gebaren naar Kabouter, die de boor opnieuw plaatst op de plek waar aan de kant van de buurvrouw een groot gat zit. Hij maakt een teken dat hij me niet begrijpt en produceert het enige Engels dat hij kent: '*Call Bartosz.*'

Thomas heeft alle bouwvakkers een bijnaam gegeven. We kunnen de Poolse namen niet onthouden, bovendien zijn ze soms moeilijk uit te spreken. Kabouter blijft vriendelijk naar Kobus lachen als hij hem zo aanspreekt en 'Zorro', 'Tom Cruise' of 'Bodybuilder' naar de andere bouwvakkers roept. Alleen 'English Patient', die een paar woorden Engels spreekt, maakt kenbaar moeite te hebben met zijn bijnaam. Hem noemen we voortaan gewoon Samuel.

Het hele weekend heeft ze versuft in haar stoel gezeten, nauwelijks nog in staat een woord te wisselen. Thomas schrok toen hij na mij de kamer in kwam; hij had mama vanwege zijn verblijf in Denemarken een paar dagen niet gezien. Het grootste deel van de tijd zat ze voorovergebogen in haar stoel, maar als ze met een enorme krachtsinspanning haar hoofd optilde, keken we in haar ingevallen, holle ogen met donkere kringen eromheen.

Ze was bang te stikken, wilde staan om meer ruimte in haar longen te maken. Met haar hand om het zuurstofslangetje geklemd schuifelde ze met onze hulp naar het bed, ze ging met veel gekreun liggen, kwam direct weer overeind, schuifelde terug naar de stoel en dan begon het hele ritueel opnieuw.

Er kwam die laatste avond meer bezoek. Een willekeurige verzameling mensen. Een neef uit het oosten van het land, een bevriende oud-studente van de kweekschool die non is geworden, een buurjongen uit Limburg die in de Randstad studeert en ik. Ronald belde halverwege de avond af. Zijn looptraining had hij vanwege een uitgelopen vergadering een uur moeten uitstellen.

Wij spraken die avond, meen ik me te herinneren, over het weer dat zeldzaam zacht was voor de tijd van het jaar. Dat de bladeren maar aan de bomen bleven hangen, dat je niet wist of je een jas moest aandoen of niet. Af en toe hoorden we van de kant van mijn moeder een raspend, hijgend geluid. Dan viel er even een ongemakkelijke stilte.

'Ze heeft niet lang meer,' bevestigde de huisarts mijn vermoedens. Hij had me verzocht voor we naar huis gingen nog even naar boven te komen. Het was een vriendelijke man, maar daarmee hield elke vergelijking met Cornelis ook wel op. Spichtig was hij, met een kalend hoofd en wat sprietjes blond haar. Terwijl hij sprak, hield hij gepaste afstand. 'Bereidt u zich voor op haar einde. Binnen nu en enkele weken verwacht ik. Als het zover is, zullen we haar begeleiden. Ze krijgt medicatie toegediend waardoor ze in een diepe slaap valt. In het begin kunt u nog contact met haar maken.'

Ik wist niet goed wat ik moest zeggen. Me voorbereiden? Hoe dan, welke woorden moest ik gebruiken, wat moest ik doen? Ik miste Cornelis, die terug in zijn eigen praktijk zijn handen vol moest hebben aan de griepgolf die heerste. Zijn zachte blik, zijn handen die me de weg zouden wijzen. Ik miste zoveel. Alles viel samen. Een plotselinge weemoedige herinnering aan het sissen van haar strijkbout als ze vroeger de rompertjes van een van mijn kinderen streek, haar huis en de sleutel daarvan die symbolisch bij ons in het kastje naast de voordeur hing; haar deur die altijd voor ons openstond. Ik miste de weken met haar in Limburg, al ziek maar nog zo echt mijn moeder, toen het contact met Ronald in warmte gedompeld leek. Ook miste ik het eeuwig lijkende uitstel van haar dood, zoals ik het de laatste maanden had ervaren.

De arts belt nog geen twaalf uur later. Het witte autootje brengt me waar ik moet zijn. Op weg zijn naar mijn stervende moeder geeft een zekere dynamiek, een bijna positief geladen spanning. Ik heb naar verandering verlangd maar nu straks alles anders zal zijn, wil ik vluchten in status-quo terwijl ik tegelijkertijd zo nieuwsgierig ben.

Wat moet ik haar vertellen? Er is geen wijsheid, geen kennis paraat. Dat het wel mee zal vallen? Dat ze niet bang hoeft te zijn en dat ze straks geen pijn meer zal voelen? Mama, je beheerst het stervensproces goed, je doet goed je best en daarvoor krijg je straks... Nee, straks bestaat voor haar niet meer.

Ronald stond bij de incheckbalie op het vliegveld voor New York. Gisteravond hadden we nog contact. Hij besloot te gaan; de arts had immers gezegd dat het ook nog enkele weken kon duren. Hoe lang was hij nou helemaal weg? Die paar daagjes, dat zou wel heel toevallig zijn. Hij had immers zo hard voor de marathon getraind, zo verantwoordden wij zijn beslissing. Nu plukte het telefoontje hem uit de rij. Met een koffer en wat handbagage stapte hij onmiddellijk in een taxi, zijn collega's achterlatend met de woorden: 'Loop 'm binnen de vijf uur voor mij.'

De huisarts belooft te wachten maar heeft blijkbaar toch haast, want zodra mijn broer de kamer in stapt, draait hij de zuurstoftank dicht en haalt het slangetje uit haar neus. Het infuus gaat aan en de huisarts vertrekt.

We besluiten om haar bed te verplaatsen. Het kan immers nog dagen duren voor ze haar laatste adem uitblaast. We willen om haar heen kunnen zitten. Een tante en haar man stappen binnen. Gezellig. Ze hadden van de NS nog een gratis dag reizen te goed en zijn vanochtend vroeg in de trein gestapt omdat ze nog even langs mama wilden, voor ze een tentoonstelling gingen bezoeken. We zetten de wielen onder het bed van het slot, trekken met z'n allen, duwen tegen de zijkanten van het bed. Het is een hoop gedoe. Ondertussen ligt mama daar maar. Het bed hobbelt over snoeren heen. Ze murmelt. 'Wat zeg je, mama, wat zeg je?' Ze ontbeert kracht om te antwoorden. Het voelt alsof ze ons wil tegenhouden. Doe nou niet, laat me alsjeblieft met rust. Maar we laten haar niet met rust. Mama moet van de verpleegkundige een luier om. Weer een hoop gesjor. Als Ronald haar optilt weet ze zowaar een lachje te produceren, ook al is het nog zo klein. 'Stoere jongen,' hoor ik haar zeggen.

Ronald en ik zitten bij haar. Tante en oom wachten boven. Die wisselen ons straks af. Mijn broer zegt goede dingen. Ik vind de woorden niet, maar bij hem lijken ze vanzelf te komen. Hij vertelt haar over Boudewijn. Hij zegt dat ze zich geen zorgen hoeft te maken, dat we haar zullen missen, maar dat we elkaar erdoorheen zullen slepen. Ik hoor mijn broer zeggen dat hij op mij zal passen. Ze reageert niet maar aangezien ik ergens heb gelezen dat het gehoor het zintuig is dat het langst blijft functioneren, ga ik ervan uit dat ze wel registreert wat Ronald zegt.

Ineens wil ze overeind komen. Haar longen openzetten voor de zuurstof waar ze naar snakt. 'Ik wil niet stikken,' zei ze laatst weer. 'Laat me alsjeblieft niet stikken.' Ik beloofde het haar met de hand op het hart en nu ben ik machteloos.

Haar vingers grijpen zich als klauwen vast aan de ijzeren rand van het bed. De knokkels worden wit, de aderen zwellen op. De spieren in haar onderarmen werken op volle kracht. Zo komt ze overeind en leunt met haar volle gewicht over de zijkant van het bed, dreigt eruit te vallen. Ronald en ik drukken onze benen tegen de bedrand. 'Ga nou liggen, mama,' zeg ik huilend.

Dit is niet wat ons beloofd was. Ons was een langzaam wegglijden voorspeld, niet deze doodsstrijd. Een daad van barmhartigheid om haar uit haar lijden te verlossen, daarmee heb ik ingestemd, maar bij deze aanblik welt de woede in me op: het voelt alsof ik ooggetuige ben van moord. De huisarts is mijn moeder aan het vermoorden met die rotslang in haar lijf. Ik wil dat ding uit haar trekken, haar ogen openen en samen met haar weglopen. Arm in arm weglopen uit dit afgrijselijke doodshuis. Mijn hand gaat in de richting van de sedatiepomp, maar Ronald houdt me tegen, schudt gedecideerd zijn hoofd.

Ik zie dat mama haar truitje uit wil omdat ze het warm heeft. Het zweet breekt haar aan alle kanten uit. Haar voorhoofd voelt klam. Alsof de warmte letterlijk uit haar lichaam moet ontsnappen voordat ze dood kan gaan, koud kan worden. Resoluut pak ik een schaar. Ik vraag haar toestemming. Ze knikt. Ik knip bovenin en scheur de rest van de trui naar beneden doormidden. Ze is naakt. Ik zie mezelf bij mijn laatste bevalling: hoe ik het nachthemd uittrok vlak voor ik met een oerkreet die door merg en been ging mijn zoon eruit wierp.

Zij werpt ook, haar leven werpt ze eruit. Met dezelfde primitieve oerkracht.

Haar huid, doorschijnend wit, het litteken waar ooit haar linkerborst zat. Blauwe plekken en knobbels overal, een maanlandschap. Alsof parasieten zich via de bloedvaten in haar huid hebben genesteld en zijn begonnen aan hun weg naar buiten. Ronald bukt zich. Met de zijkant van zijn lippen beroert hij haar wang, hij drukt even met zijn hand op mijn schouder en verlaat dan de kamer.

Ze probeert wat te zeggen. Richt zich op, met een uiterste krachtsinspanning. 'Dochter, dochter.' 'Ik ben bij je, mama, je dochter is bij je.' Ik probeer geruststelling in mijn stem te leggen, maar faal jammerlijk. Mijn stem klinkt schril, angstig. Ze komt weer naar voren, ze geeft zich niet gewonnen. Terwijl ze mijn hand grijpt, gromt ze vanuit het diepst van haar binnenste een naam. De naam van mijn vader, en weer hoor ik het woord. Duidelijk te verstaan nu. 'Huib, dochter,' rochelt en hijgt ze. Het is maar goed dat mijn broer de kamer heeft verlaten, nu zij hem niet noemt in wat misschien wel haar laatste woorden zullen zijn.

Maar het voelt alsof ook mijn beurt is gekomen, dat ik ook weg moet daar, uit die kamer. Ze kan niet sterven. Het besef komt als een mokerslag binnen. Om uit deze wereld te stappen, kan er geen overheveling zijn van mijn levenskracht naar de hare. De dood is sterker. Het is een kansloos gevecht. Ik heb in deze kamer niets meer te zoeken, geen functie meer. Ik moet haar laten gaan. Ze kan zich met haar kinderen naast zich niet overgeven. Tot op het laatst zal ze strijden om in leven te blijven, om ons niet in de steek te hoeven laten. Gun haar rust, zeg ik tegen mezelf, laat haar los.

Hoe anders is dit dan papa's einde, die er stilletjes tussenuit kneep. Zielsalleen liet hij zich in het water glijden, in het vlies van het kanaal vond hij zijn bevrijding. En toch:

in een ander opzicht is het allerlaatste stuk voor eenieder gelijk. Eenzaam en alleen geeft de stervende zijn leven uit handen. Ook mama moet ik op de door haar ingeslagen weg alleen laten.

Nog houdt ze me vast, knijpt met alle kracht die ze in zich heeft in mijn hand. Ik wrik mijn vingers los. Een voor een maak ik ze los uit de hand die me zo liefdevol kon strelen. Die melk voor me inschonk, later koffie, toen wijn. De hand die de engelvleugeltjes naaide voor de kerstvoorstelling op school, de hand die het onkruid uit mijn tuin haalde. In de römertopf de heerlijke kip met veertig teentjes knoflook bereidde waardoor Ronald en ik in de drukke intercity na kerst elk een eigen bank hadden, de hand die mij naar het altaar leidde, die mijn kinderen de fles gaf, een pop, een legokasteel, een fiets en liefde. Heel veel liefde. Haar hand grijpt nu het koude ijzer van de bedrand.

'Dag mam,' zeg ik zacht.

XXV

Pas na de begrafenis en de week die we met de hele familie doorbrachten in het ouderlijk huis, klom de rouw op mijn schouders. Nestelde zich tegen de zijkanten van mijn nek, lag breed en loom, alsof hij alle tijd van de wereld had, op mijn bovenrug te duwen. Het was als een hardnekkige verkoudheid, waar je af en toe door een niesbui en vermoeidheid aan herinnerd wordt maar verder valt er prima mee door te leven.

Ik verscheen na bijna twee maanden afwezigheid weer op mijn werk. Aan het zorgverlof was met de dood van mijn moeder een einde gekomen. Om de praktische zaken rond het overlijden te regelen, had ik die eerste week na haar dood nog vrij gekregen. Rouwverlof bestaat niet en ik bedacht dat ik dat, eenmaal weer aan het werk, ook helemaal niet nodig had.

De lessen gingen die eerste tijd moeiteloos over in vergaderingen over nieuw te gebruiken methoden en informatiebijeenkomsten die door het management verzorgd werden over domeinvorming en de daarmee samenhangende nieuwe functiewaarderingen. Alsof ik nooit was weggeweest deed ik mijn door iedereen gewaardeerde zegje. Gelaten onderging ik condoleances en complimenten. Ongezien plengde ik een traan in het stuk taart van een jarige collega. Werken ging prima. Op de fiets kon ik tevreden terugkijken op vruchtbare dagen en ook de herinnering aan de tijd vlak na mama's dood vervulden me met trots.

Op de begrafenis van mijn moeder lachte de lucht. Zonnestralen omhelsden de grijze leistenen van het Onze Lieve Vrouwenplein. De mis voor de liefste vrouw die ooit heeft geleefd, voelde als een ode aan de kerk. We stonden – als eerstegraads familie van de overledene – zoals het hoort klaar toen de mensen binnenkwamen. Hun trefzekere passen in onze richting brachten mij aan het wankelen en ik deed een paar stappen naar achteren.

Vanbinnen voerde ik de strijd met mijn lot. Eerst mijn vader, nu mijn moeder. 'Je bent veel te jong om beide ouders te verliezen,' sprak mijn nicht uit Klazienaveen instemmend. 'Je moeder heeft je kinderen tenminste nog gekend,' zei een vrouw van zwangerschapsyoga wier moeder was overleden op haar zeventiende. Ze nam alle tijd voor haar hartverwarmende woorden: de rij achter haar werd langer en langer en ik kon me niet van de gedachte ontdoen dat het hoe dan ook oneerlijk was. Mijn vrienden konden allemaal nog aanspraak maken op in elk geval een vader óf moeder. Toen de oudere broer van mijn moeder me condoleerde met een blik die het midden hield tussen medelijden en schaamte, was mijn inwendige reactie: ja, ik vind ook dat jij aan de beurt was, dat jij in haar plaats had moeten gaan.

De kerk stroomde langzaam maar zeker vol met passanten. Een delegatie van afgevaardigden uit zangkoren, cursussen zwangerschapsyoga, wandelclubs en de oud-collega's van papa. Het schilderspalet van haar leven, het schilderij was klaar. Het was gebeurd. Het was definitief.

Nog weken had ik willen leven met het lichaam van mama boven in haar slaapkamer terwijl wij beneden zaten te lachen, drinken en eten. Af en toe liep een van ons naar boven, streelde haar hand, gooide de opgebrande resten van de waxinelichtjes weg die we overal in de slaapkamer hadden neergezet en verving ze door nieuwe. Gebalsemd lag ze op haar bed, zoals in Nederland nog altijd voorbehouden was aan de leden van het koninklijk huis en anderen na speciale toestemming. Het postadres van de uitvaartmaatschappij was in België, vandaar dat het tot de mogelijkheden behoorde, had de begrafenisondernemer met onverholen trots gezegd. Hij had er een speciale opleiding voor gevolgd in Parijs en zijn vakmanschap had ons – tenminste voor het oog – onze moeder en oma teruggegeven. Het lichaam lag verborgen onder een laken maar dat kon niet verhoeden dat de begrafenisondernemer een paar keer moest terugkomen.

Kobus en Frederikke probeerden meerdere malen mama's ogen te openen. Ze zag er zo levend uit dat de kinderen niet konden begrijpen dat ze zo lang kon slapen. Uren was de man bezig geweest de oogleden in hun natuurlijke vorm te plooien en de wimpers en wenkbrauwen bij te werken.

Op de avond van haar dood brachten we haar thuis, Ronald en ik. Het was zijn idee en ik vond het mooi. In zijn Volvo reden we achter de Chrysler Voyager van de Limburgse begrafenisondernemer aan. We volgden de twee rode lichten van de auto voor ons als volgden we vuurvliegjes in de nacht. Mama die ons thuisbracht. Over bruggen van de rivieren die het noorden en het zuiden splijten, onder viaducten door. Op de A2 onderscheidde de auto voor ons zich niet van willekeurig welke andere gezinsauto. Naar huis rijden na een familiefeestje. Het was weer ouderwets gezellig. En dan die zelfgebakken appeltaart: smullen. Auto's die ons passeerden op weg naar een stad, mensen in uitgaanskleding. Een housefeest in een loods, een clubavond.

Het ouderlijk huis, verworden tot weeshuis, omkapselde ons als de schaal van een gebarsten ei. Het bood geen bescherming meer. Ze was zo onherroepelijk verdwenen. Ik huilde terwijl Ronald voor zich uit staarde.

We openden een goede fles wijn, en nog een. Het verdriet verstopte zich in een ladderzatte meligheid. We lachten om mij: eerst liet ik twee glazen vallen en daarna knoeide ik steeds tijdens het drinken. We lachten om hem: hij depte de vlekken met de punt van zijn witte overhemd. We lachten om te lachen, om de emotie van het verdriet, dat zo intens was dat het alle andere gemoedstoestanden tegelijk oprakelde. Ik sliep in mama's tweepersoonsbed. Ronald lag op zolder, in zijn oude kamer.

De volgende ochtend kwam hij al vroeg mijn kamer in.

'Mag ik bij je liggen?'

Hij huilde, de longen uit zijn lijf en ik troostte hem terwijl onze bloedband zich herijkte, op zoek naar nieuwe patronen.

Aan het dode lichaam zou na de dienst een einde komen, net zoals er een einde was voor het zieke lichaam met een tia, het zieke lichaam met sarcoïdose, het kankerlichaam. Ik had maandenlang zo uitgekeken naar de tijd om weer op te kunnen bouwen, maar nu die tijd was aangebroken, wilde ik terug, terug desnoods naar de hospice, toen ik in elk geval nog troost had kunnen vinden in de aanraking van haar warme hand.

'Je houdt je herinneringen, die neemt niemand je af.' Of

erger nog: 'Ze leeft voort in jullie, het is beter zo.' Al die lariekoek, ik kocht er niets voor. Ik wilde alleen zijn en verdrietig, ik wilde huilen zonder getroost te worden. Al die mensen die zich hier hadden verzameld in de kerk, ik gunde ze noch onze voorstelling noch het samenkomen daarna. We waren er goed in hoor, een showtje geven. Prachtige samenvatting van haar wezen en leven gaf Ronald daar weg. En de kleinkinderen zongen zo mooi, hoe ontroerend toen ze na het aansteken van de kaars elk een tekening op haar kist legden. Het koor, waar zij zoveel jaren deel van had uitgemaakt, jubelde en juichte, strooide als slotakkoord het 'De Profundis' over het lichaam in de kist uit.

Bij de begrafenis van mijn vader was ik alleen maar verguld met alle aandacht voor hem. De kerk zat toen vol, mensen stonden op het plein om toegelaten te worden. Mijn vader was publiek bezit, altijd al geweest.

Mijn moeder was van ons. Zij had ons liefgehad bij de gratie van de opoffering. Hoe kreeg ik zonder haar adem lucht?

Ik miste mijn vader. Ik miste mijn vader ineens zo vreselijk. Waarom was hij er niet? En mijn moeder, ik kon niet zonder haar, al was het alleen maar omdat Kobus de hele tijd op mijn schoot wilde zitten en niemand zich de aangewezen persoon voelde mij, een eregast toch eigenlijk, te ontlasten.

Bij het verlaten van de kerk stak de zon met zijn stralen onze ogen uit. Op nog geen tien meter afstand van de uitgang van de kerk zaten mensen met een hapje en een drankje op een terras te genieten van de zon. Tot onze pupillen zich afdoende hadden vernauwd, zochten we steun bij de tafels van het terras. Ronald leunde tegen een die bezet was. Een man trok verontwaardigd zijn salade onder de plek vandaan waar mijn broer zijn hand neerzette. Zijn vrouw, die met tassen vol nieuwe aanwinsten kwam aanlopen, versnelde haar pas en plofte neer in de stoel die haar man voor haar had gereserveerd door hem met zijn andere hand bezet te houden.

XXVI

'Mama, waarom maak je de laatste tijd zo vaak rabarber?'
Kobus staart me aan terwijl ik in de pan roer. Ik mompel
iets van: 'Gezond, word ik weer sterk van.' Dat is niet gelogen want alles wat ik uit mijn lichaam braak, is zuiverend.
Mijn lichaam is ballast. Energieloos wil ik zijn. Ik snak naar
rabarber. Ik ben er totaal verslingerd aan. Feit is dat het me
misselijk maakt. Kotsmisselijk. 'Het geeft me troost,' antwoord ik, 'omdat ik soms nog verdrietig ben om oma.'

Ik haal het donderdags op de markt. Thuis was en schil ik
de rabarber, de stelen snijd ik in kleine stukjes. Met water en
kaneel breng ik het aan de kook, in een koperen pan. Na een
paar minuten borrelt het, met witte schuimlaag en de stukjes vallen als drab uiteen. Roodbruine smurrie, slierten als
de ingewanden van een rund. Het roeren maakt me rustig.
Groen met zaden door het rode sap, bloed van een dood
dier. Spetters schuim springen vanuit de bodem van de ketel op, wat hete druppels vallen op mijn zwarte jurk en op
de grijze tegels. Ik zet het vuur uit en schenk de mooi gebonden compote in een beker. Zo giet ik het verderfelijke levens-
sap in mijn keel. De geur alleen al doet me kokhalzen.

Eerst dronk ik te veel alcohol, ik wist het, maar een tijd-
lang kon het me niet schelen. Ik wilde mezelf niet redden

en ik wilde niet dat iemand me redde. Was dit wat papa had gevoeld? Leek ik dan toch op hem, zoals hij mij door de telefoon had verzekerd toen ik hem weer eens uit de put had weten te praten? Als iemand je sombere buien zo goed begrijpt, moet die persoon dan automatisch ook somber zijn? Is begrip synoniem aan identificatie?

Ik verzette me niet tegen dat wurgende gevoel, gleed steeds verder weg. Alles leek zinloos. Er waren dagen dat ik om vier uur 's middags al op meer dan een liter zat. Niets unieks, als ik naar de mensen om me heen keek. Een fles per dag was heel normaal. Wij allen gedijen op wijn; jodium voor ieders mislukkingen. Als alcoholist zou ik echter op den duur door de mand vallen. De waarneembaarheid van de gevolgen, de stank uit de mond, de geur die de alcoholist omringt, het slappe, zwalkende lichaam.

Vanbuiten gezond, vanbinnen een wrak; onzichtbaar leed bestaat niet. Rabarber bleek een geschikter middel. Marieke, die zo vaak misselijk is en toch alsmaar door blijft gaan, wat een bewonderenswaardige vrouw. Vele malen beter dan voor alcoholist te worden versleten. Geen greintje respect voor de alcoholist.

In stilte huil ik voor mama. Dat haar leven voorbij is. Om wat er voor haar nooit meer zal zijn en ook nooit zal komen, maar meer nog om wat er nooit is geweest. Ik huil om de kinderen en Thomas, die haar in hun leven moeten missen.

Voor mijzelf verzamel ik geen tranen. Wat ik voel is daarvoor te groot. Het roer laat ik los en zo dobber ik rond in een zee van rouw. Erin ondergedompeld ervaar ik veel groter nog dan het gemis, de totale zoektocht naar mezelf in zowel verleden als toekomst. Een zoektocht naar de vraag: wat is er nog over en waarvan?

Kotsend hang ik boven de wc. Misschien ligt het braaksel ernaast. Ik zie het niet want de elektriciteit is net uitgevallen. Thomas komt aangesneld. 'Ik kom eraan, schat, even de knop indrukken.' De Polen hebben de elektriciteit toentertijd niet goed aangesloten. 'Een levensgevaarlijke situatie,' zei een vriend die in de meterkast keek laatst.

Thomas is bezorgd, hij helpt me naar boven. Ik mag in bed gaan liggen, krijg kamillethee en geraspte appel. Lotta brengt het op het dienblad met de roosjes dat van oma is geweest. Ze knuffelen me allemaal.

Mijn man maakt een afspraak bij de dokter. Die geeft me een verwijsbrief voor een therapeut, na zich ervan te hebben vergewist dat mijn toestand niet levensbedreigend is en dat ik mezelf, in elk geval op korte termijn, niet iets zal aandoen. Ik kom bij de therapeut op een wachtlijst van waarschijnlijk enkele maanden.

Toen we niet meer zo vaak samen konden wandelen omdat ik ver bij hem vandaan woonde, begonnen de telefoontjes. 'Met papa, kan ik even met je praten?' 'Nee papa, je moet niet in bed blijven liggen. Ja papa, het heeft wel zin om je aan te kleden, om een boterham met jam te eten. Neem er een eitje bij. Niet te lang koken hè, daar houd jij niet van. Papa, wat vervelend dat je niets meer voelt; niet eens dat je van me houdt. Het geeft niet, papa, het geeft niet. Ga maar slapen, morgen zul je je beter voelen.' Ik respecteer het vijfde gebod. Ik respecteer mijn vader die alles weet van Cerberus, de driekoppige hond van Hades en van Shakespeare en Copernicus, Willem van Oranje, D-day, maar ook de Eredivisie en de voetbalstanden. De materie is er wel, maar de geest mist de vaardigheid zich aan te passen.

Bij de Hema sta ik besluiteloos voor de schappen met sokken. Lotta droeg vanochtend een broek met hoogwater en daaronder staken twee sokken met elk een andere kleur en een ander motief. 'Het kan niet anders, mama, de rest van de sokken is kapot of kwijt, dat heb ik je weken geleden toch al gezegd?' Ze sprak verontschuldigend, alsof ze zich realiseerde dat ze me door die opmerking belastte met iets wat boven op mijn zestigurige werkweek van rouw zou komen: de zorg voor haar en haar broer en zus. En zo erg was het volgens haar niet om met twee verschillende sokken te lopen; eigenlijk vond ze het zelfs wel grappig. Ik kies een set van twee paar roze kniekousen met bloemetjes. Roze is Lotta's lievelingskleur en in de grotere maten zijn ze bovendien in de aanbieding. Ik neem ook nog wat onderbroekjes mee.

Thuis tref ik Thomas met de buurvrouw aan onze tafel. Het lijkt er bijna op alsof hun handen zojuist nog in elkaar verstrengeld zaten, zo snel schuiven beiden bij mijn binnenkomst hun handen terug op de schoot. Midden op tafel staan twee bekers, waarvan de oren elkaar raken. 'O Marieke,' zegt de buurvrouw met tranen van het lachen in haar ogen. 'Jij hebt werkelijk de grappigste man die ik ooit heb ontmoet.' Ik kijk van haar naar Thomas.

Het moment doet me denken aan een situatie lang geleden, toen ik op de middelbare school verliefd was op een jongen die vervolgens verkering vroeg aan mijn beste vriendin. In de pauzes mocht ik er getuige van zijn hoe hij haar zijn boterham voerde en hoe hij zijn thermobeker thee aan haar lippen zette. Grappig, ja: ooit had ik Thomas ook grappig gevonden. Vroeger was het een sport van hem om mij aan het lachen te krijgen en ik moet toegeven: het lukte altijd. Of hij me nu kietelde met de staart van de kat, me een zelfbedachte mop vertelde of zijn Johan Cruijff-imitatie deed, altijd weer schoot ik in de lach. Misschien nog het meest door die onweerstaanbare jongensachtige grijns die, net als nu, op zijn gezicht lag. De grijns is deze keer niet tot mij gericht. Hij lijkt zijn blik niet te kunnen afhouden van de rij prachtige, witte tanden van de buurvrouw en haar zorgvuldig gestifte, gewelfde mond. Hij ziet er trouwens verbazingwekkend goed uit, valt me nu op. Had hij vanochtend die nieuwe trui met de stoere V-hals ook al aan? Zijn schouders lijken onder die trui breder dan ze zijn. De mouwen zijn opgestroopt en zijn gespierde armen leunen losjes op de tafel. Hij zit jongensachtig en vol bravoure onderuitgezakt.

Als ik Lotta, die op de bank met haar Nintendo DS speelt, trots de sokken en onderbroeken toon en om uitleg vraag vanwege de stuurse blik die onmiddellijk daarop in haar ogen verschijnt, zegt de buurvrouw behulpzaam: 'Meiden van die leeftijd hebben toch geen kniekousen meer? En al helemaal geen roze met bloemen. Ik wil me nergens mee bemoeien hoor, maar dat ondergoed: vanaf een jaar of acht dragen ze tegenwoordig toch alleen nog maar Björn Borg? Lotta, ik neem volgende week wel wat voor je mee uit de stad. Misschien mag je zelfs wel een keertje met me mee van je moeder?'

Na een kort knikje maak ik me gegeneerd uit de voeten. In mijn hoofd gaat een wekker af. Een wekker waarvan ik nu al weken door het alarm heen ben geslapen. De groeispurt van mijn kinderen heb ik achteloos langs me heen laten gaan en mijn echtgenoot lijkt niet veel meer met mij te maken te hebben.

Misschien is het nog niet te laat? Vol goede moed ga ik even later weer op pad. In een reclamekrantje heb ik een actie gezien: zes zakken haardblokken van de beste kwaliteit voor de prijs van vier. Met hout ga ik het gezinsleven terugwinnen. Een gezellig haardvuur op deze druilerige, koude dag.

Als ik de eerste zak in mijn karretje hijs, zinkt alle moed me in de schoenen. Hij is zwaar, bovendien rolt het karretje steeds bij me vandaan als ik er een nieuwe zak op wil leggen. Een geërgerde blik van een vrouw als ik op haar kuiten bots. Met het vooruitzicht dat ik de zakken ook nog in de auto moet krijgen, loop ik langzaam naar de kassa. Mijn benen trillen. Er staan een paar mensen voor me, maar de rij achter me wordt al snel vele malen langer. Het gezicht van de caissière belooft niet veel goeds. Ongeduldig kauwgom kauwend haalt ze vliegensvlug de producten over de scan.

Ik moet die zware zakken op de band krijgen en ze vervolgens zo snel mogelijk weer in de wagen leggen zonder andere mensen te storen. Dat is van het allergrootste belang: dat ik geen mensen stoor, want mensen storen is gelijk aan opvallen en ik wil koste wat kost anoniem zijn. Hoe krijg ik dat voor elkaar, vooral nu ik bij god niet meer weet wat mijn pincode is? Ontsnappen gaat niet meer. Ik moet langs de zuur kijkende caissière, die nu ongeduldig met haar vuurrode lange nagels op de loopband begint te tikken.

Ik probeer me te concentreren op het beeld dat wij vijven straks gezellig om de haard zitten. 'Opschieten, wijffie.' Ongeduldig word ik in mijn rug geduwd door een man met een uitklapbare ladder. Terwijl ik met twee handen de eerste zak uit het wagentje wil sleuren, zie ik vanuit mijn ooghoek de caissière overeind komen uit haar stoel. 'Wacht maar, ik help u wel even, dan hoeven ze niet op de band.'

Is het het zweet dat van mijn voorhoofd gutst? Is het het moedeloze gebaar dat ik maak door de zak op te tillen maar hem halverwege te laten zakken? De caissière spreekt me onverwachts vriendelijk en zeer bemoedigend toe. 'Doe maar rustig hoor, mevrouw, ik weet wat het is, ik heb anorexia gehad, geloof het of niet, ik was nog veel magerder dan u. Op het laatst woog ik nog maar dertig kilo en toen kon ik nog geen tas tillen, laat staan zware houtblokken.'

In de auto laat ik mijn ogen over mijn gestalte dwalen. Anorexia? Zo dun ben ik toch niet? Het is waar dat ik tegenwoordig een riem om mijn spijkerbroek moet dragen om geen 'skaterlook' te krijgen, en mijn wangen zijn inderdaad wel wat ingevallen, maar Kate Moss zou met het vet op mijn bovenbenen en billen haar hele lijf kunnen bedekken. Van de andere kant: het voortdurende overgeven, de vermoeidheid?

Snel verdring ik het spookbeeld door het vrolijkere beeld van een brandende open haard met daaromheen Thomas, de kinderen en ik terwijl we chocolademelk met slagroom drinken. Tot de spoorwegovergang lukt het me dat beeld vast te houden, maar dan sluiten de bomen zich en gedurende het voorbijrazen van de sneltrein bekruipt me toch weer het gevoel van nutteloosheid, van verlangen naar de rust van het niets.

Mijn vader is die ochtend naar het kanaal gelopen. Heeft zijn jas uitgetrokken, hem netjes opgevouwen in het gras voor de vinder. Zijn horloge, cadeautje van mijn moeder en een duur stuk staal, was te veel waard om mee te nemen. Hij heeft het in zijn jaszak gestoken. In navolging van Virginia Woolf moet hij zijn broekzakken gevuld hebben met stenen. Zelfs als je niet kunt zwemmen, lijkt verdrinken me een hele kunst, een gevecht met het overlevingsinstinct. Hij zal het koud hebben gehad toen zijn lijf het water raakte. Arme lieve papa.

Thomas heeft geen zin om de open haard aan te steken. 'Champions League-avond,' mompelt hij. Ik doe nog wat zielige pogingen en dan zijn de lucifers op. De kinderen zijn tegen hun vader aangekropen. Ze mogen een slokje uit zijn blikje cola. Hij straalt een warmte uit waar de open haard niet tegenop kan.

Overbodig ben ik, aan de zijlijn naast mijn vader. Nergens goed voor. Alsof ik uren besteed aan het tekenen van een plattegrond, die vervolgens door modderige kinderschoenen vertrapt wordt, omdat iemand anders zegt: 'Kom jongens, daar is het veel leuker.' Het moeiteloze leven, het onvoorbereide, de infantiele onschuld van anderen. En de anderen zijn dan je partner en je kinderen.

Lotta maakt zich los van haar plek op de bank en loopt naar me toe. Ze slaat haar armen om me heen en mompelt dat ze nu wil dat ik haar en haar zusje en broertje naar bed breng en dat het met die open haard morgenavond vast wel zal lukken.

Het is alsof mijn dochter me ontmaskert en me wegtrekt uit het spoor dat mijn vader heeft gelegd, weg in de richting van het licht, waar hoop gloort. Al is het weliswaar een greintje, het is wel degelijk aanwezig.

XXVII

Bij de kassa moest ik de Danoontjes en de biefstukken terugleggen om te kunnen betalen. We staan rood en het is
nog maar het begin van de maand. De hypotheek drukt
zwaar op de maandlasten. Van het inkomen van Thomas
alleen kunnen we niet in ons levensonderhoud voorzien.
We hebben nog voor twee maanden geld op onze rekeningen staan, dan is het op.

's Avonds bel ik Ronald.

'Wat is er, waarom bel je?' Hij klinkt nors. Ik durf bijna
niet, maar ik moet wel.

'Heb je nog wat gehoord, is het huis al verkocht?'

'Nee, heb je Thomas nog niet gesproken?' Mijn hart klopt
in mijn keel.

'Ik heb het afgeblazen, we kwamen niet uit de onderhandelingen. Hun laatste bod was nog steeds vierduizend te
laag. Je weet wat ik mama beloofd heb.'

Even weet ik niet wat ik moet zeggen. Voor de zoveelste
keer sinds het huis te koop staat, heeft mijn broer een bod
afgeslagen. Het belachelijke financiële eerherstel van onze
ouders weegt onverminderd zwaar voor hem. Zijn belofte
aan mama... toen ze hem misschien al niet meer horen
kon.

'Wil je nou serieus zeggen dat je het bod vanwege een stomme vierduizend euro verschil hebt afgeslagen zonder met mij te overleggen?' Mijn stem slaat over van woede terwijl ik met mijn linkerhand de enveloppen met aanmaningen verfrommel.

'Rustig zeg, doe even normaal. Ik zou toch de onderhandelingen doen? Anders neem jij het maar over. Bovendien, zo'n haast hebben we helemaal niet. Jullie wonen nu in een prachtig huis, vinden jullie zelf, waar zeur je dan over?'

'Ik ben gestopt met werken, al een hele tijd; al bijna een jaar.'

'Wat bedoel je gestopt, van de ene op de andere dag en waarom heb je mij dat nooit verteld? Hoe stom kun je zijn?'

Precies. Daarom. Juist omdat je reactie is zoals ik verwachtte, heb ik het je nooit verteld, denk ik bij mezelf terwijl mijn antwoord is: 'Ik mocht inderdaad van de ene op de andere dag stoppen. Het kwam ze wel goed uit vanwege de nieuwe inburgeringswet, waardoor er op den duur toch mensen weg zouden moeten enzo. Ronald, ik ben moe.'

Hij zucht hoorbaar door de telefoon.

'Zusje, *grow up*. Moe zijn we allemaal, dat geeft je niet het recht onverantwoordelijk gedrag te vertonen. Trouwens, zo erg is het helemaal niet. Jij hebt het geld van de erfenis vast niet voor jaren vastgezet. Dan gebruik je dat toch?'

'Moet ophangen,' mompel ik. 'Kobus huilt.'

Net als anderhalf jaar geleden bel ik aan bij de grote houten deur van het grachtenpand. Het ziet er niet meer zo gelikt uit. Iemand heeft een hakenkruis op de deur gespoten en er is gepoogd het er met het verkeerde goedje vanaf te halen, waardoor de deur nu een rare gelige kleur heeft. Het ruikt er naar urine. Mannen kiezen deze portiek om zich van de resten van hun drinkpartijen te ontdoen.

Ik kom binnen in de kamer die nog precies hetzelfde is, de hoge plafonds met de ornamenten, de kroonluchters en de vertrouwde blik van Willem de Derde.

Dimitri ziet er zoals gewoonlijk tot in de puntjes verzorgd uit. Een maatpak met grijs-blauwe streep, geen stropdas maar wel een geruststellend gladgeschoren huid. Hij rommelt in het keukentje achter de enorme kantoorruimte, komt terug met een glas versgeperst sap. Mijn vingers trillen als ik het glas van hem aanpak. Ik draai wat om de hete brij heen, moet moed verzamelen om mijn vraag te stellen en blijf daarom maar doorzagen over zijn vriendin die ik al 'n tijd niet meer heb gezien. 'Nou, als je het dan echt wilt weten,' zegt hij terwijl hij met zijn ene hand de knokkels van de andere laat kraken, 'ze is al weer exit.' Hij verdwijnt naar het keukentje, mompelt dat hij koffie gaat zetten terwijl ik me omdraai en op een van de chesterfields neerplof. Het verbaast me niets, van die vriendin. Hij heeft het zelfs nog relatief lang met haar uitgehouden.

'Laat me raden,' roep ik in de richting van het keukentje. 'Is het omdat ze de etiquette niet kende?'

'Nog steeds espresso zonder suiker?' Hij staat half in de deuropening en draait zich direct na mijn knik om alsof hij mijn vraag niet gehoord heeft, maar terwijl hij draait, hoor ik hem toch iets murmelen waarvan ik in eerste instantie denk dat ik hem niet goed heb verstaan.

'Ze had ineens een ander.'

Dimitri, die met zijn blik alleen al de vrouwen op de knieen krijgt. Dimitri die steevast na een paar keer genoeg had van zijn stoeipoezen. Ik moet bij mijn oordeel over haar iets over het hoofd hebben gezien. Hoe zag ze er ook alweer uit?

'Begrijp ik het goed, ben jij gedumpt door haar? Dat is nooit eerder gebeurd, dat kan in de krant.'

'Het is niet belangrijk. Trouwens, ik ben wel eerder gedumpt, als ik je geheugen even mag opfrissen.'

Hij heeft gelijk, ik was het al bijna weer vergeten. Vlak voor ik Thomas ontmoette, hebben Dimitri en ik heel kort iets met elkaar gehad. We pasten niet bij elkaar, dat was volgens mij voor beide partijen duidelijk, meteen na de eerste zoen. In mijn herinnering was ik weliswaar degene die er toen snel een punt achter zette, maar hij was er evenmin rouwig om geweest. De volgende dag zwoeren we elkaar in een gehuurde zeilboot op het IJ eeuwige vriendschap en besloten we dat een platonische band toch beter voor ons was dan al dat gedonder met seks en zo.

Ik doe net of mijn hak loszit om hem maar niet in de ogen te hoeven kijken. 'Sorry Dimitri, dat ik je hier al zo snel weer mee lastigval, maar ik wil mijn belegging verzilveren.' Mijn stem klinkt gemaakt nonchalant, alsof ik hem vraag om toch maar suiker in mijn espresso te doen.

Hij kijkt me kort aan en staat op. Zijn handen zet hij met gespreide vingers op de vensterbank. Daarbuiten moet iets interessanters gebeuren want hij blijft uitkijken over de gracht. Zijn rug is gebogen. Hij staat daar maar en zegt lange tijd niets.

Het valt me nu pas op, de stilte. De vaste telefoon, de mobiel met de ringtone van George Michael, het piepje als er mail is, ze zijn sinds ik hier ben niet één keer afgegaan. Er heerst een totaal gebrek aan bedrijvigheid in het kantoor.

'Bij beleggen hoort een lange adem. Marieke, je nu terugtrekken is doodzonde. De daling is in alle markten fors, met name in Azië en de Emerging Markets. Laten we daar nou net in belegd hebben. Diverse cijfers wijzen op een voortdurende verzwakking van zowel de Amerikaanse als de Europese economie. Door de sterk beperkte mogelijkheden om met geleend geld bedrijven over te nemen, is ook onze private equity teleurstellend. Diverse banken hebben miljarden afgeboekt op subprime-leningen.'

Ik loop naar de vaas met bloemen die net als bij de eerste afspraak op de schoorsteenmantel staat. De herinnering aan de geur van lelies sluit niet aan bij wat ik ruik. Kunststof, zie ik nu ik dichtbij gekomen ben. Dimitri heeft nepbloemen in zijn kantoor staan.

'Ja, ik wist natuurlijk ook wel dat het slecht gaat met de economie, maar ik heb het geld echt nodig,' piep ik.

Ik hoor hoe hij zijn keel schraapt, raspend, een onaangenaam geluid. 'Je hebt het op z'n vroegst eind van de maand op je rekening. Het zal een daling zijn van om en nabij de zestig procent.' Een roffelende trom, de explosie in mijn hoofd verstomt in nietszeggend gemurmel.

In verval, alles is in verval. Ik kijk naar de punten van mijn versleten laarzen. Zie naast me op het Perzisch tapijt een koffievlek. Hoe is die daar terechtgekomen? Iemand net als ik, vol plannen met het geld dat het zijne is en dat, na een enthousiast verkooppraatje van Dimitri, in goed vertrouwen is overgedragen? Plannen die in rook opgaan, de schok die de handen laat trillen. De koffie die over de rand stroomt, over het schoteltje, op de grond.

Hoe heb ik zo stom kunnen zijn? Ik lees kranten, ik weet wat er in de wereld te koop is. Afgestraft voor mijn blindelings vertrouwen in hem heb ik het door mijn ouders met moeite gespaarde geld verkwanseld.

'Dimitri, verdomme, had je me niet eerder kunnen zeggen dat het zo dramatisch is?'

'Kom op, doe niet zo kinderachtig. Je bent een intelligente vrouw. Bovendien stuurde ik jullie elke twee maanden een overzicht van het fonds, daar had je het allang op kunnen zien. Jij wekte de indruk dat je het geld wel kon missen. Elke belegging geeft risico, dat wist je toen je eraan begon. Voor alle instabiele factoren heb ik jullie gewaarschuwd. Het spijt me, Marieke, maar je voldoet aan het prototype van de domme belegger. Vergelijk het met de was die je buiten hangt om te drogen. Die haal jij zeker ook binnen bij een plotselinge regenbui. Het tij gaat vanzelf wel weer keren. Helaas voor mij zijn veel van mijn klanten je voorgegaan in die gedachte. Ik weet niet eens zeker of ik in deze hoedanigheid kan voortbestaan. Volgende week vertrek ik uit dit pand. Ik ga de zaken vanuit mijn huis bestieren. Zie je de fiets die daar tegen de boom staat? Dat is wat er over is van mijn Ferrari Testarossa. Misschien ga ik wel voor mijn andere droom: eindelijk een wijnhandel beginnen.'

Als verdoofd loop ik even later weer buiten. Van mijn inleg is waarschijnlijk nog een derde deel over. Ik zal weer moeten gaan werken, of ik er nu toe in staat ben of niet. Maar niet in het onderwijs, dat heb ik mezelf op mijn moeders urn beloofd. Wat kan ik in godsnaam gaan doen? Ik ben Icarus met zijn gesmolten vleugels wanneer ik even later naar de tram loop.

'Ik heb wel een idee,' zegt Thomas 's avonds als ik hem vertel dat we zo goed als bankroet zijn. 'Als wij nou eens het huis van je moeder kopen, Ronald uitkopen als het ware? Op ons huis maken we toch een megawinst, kijk maar op Funda wat de huizen in de omgeving nu gemiddeld opbrengen.'

Het leven is voor hem zo simpel. Vorige week meldde zijn baas in een teammanagersvergadering dat er iemand overgeplaatst moet worden naar het zuiden van het land. De persoon die dertig jaar lang daar werkzaam was, is tijdens een safari in India doodgetrapt door een olifant. De vacature kan met onmiddellijke ingang vervuld worden. Het salaris is bijna het dubbele van wat Thomas nu verdient.

'En verder?'

'Verder blijft alles hetzelfde.' Thomas kijkt me vrolijk aan. 'En jij hoeft dan niet direct een baan te zoeken, ik ga zat verdienen.' Een meesterzet vindt hij het.

'Alles blijft hetzelfde?' zeg ik langzaam. 'Je bedoelt toch dat wij in het huis van mijn moeder gaan wonen? Je bedoelt toch dat wij en de kinderen, die net een beetje gewend zijn aan deze buurt, stad en school, die eindelijk alle drie weer goed in hun vel zitten en vriendjes en vriendinnetjes hebben, dat we nu halsoverkop naar dat ontwikkelingsgebied verhuizen? En je verstaat de mensen niet eens, heb je daar al over nagedacht?' Van verontwaardiging kom ik nauwelijks uit mijn woorden en ik verslik me in de thee.

Het doet pijn dat het huis in Limburg na al die tijd nog te koop staat, dat niemand het wil hebben. Alsof ze mij ook niet willen. Alsof ik op de slavenmarkt voor een habbekrats te koop sta en eenieder zijn neus voor me optrekt. Maar mijn verleden wil ik ook niet en ik emigreer nog liever naar Afghanistan dan dat ik in het huis van mijn ouders ga wonen.

Thomas klopt op mijn rug. Hij klopt te hard. Het doet pijn en mijn groeiende ergernis balt zich samen in mijn handen die knijpen, de nagels in het vlees. Steeds roder zie ik mijn pols worden, steeds witter mijn knokkels.

'Marieke, wees even realistisch, probeer er nou als een volwassene over na te denken.'

Ik haat hem om zijn zelfbeheersing. Met mijn duimen in

mijn oren en vier vingers voor mijn ogen denk ik aan geluk. Dat ik daar wel wat van kan gebruiken. Ik stel me voor dat de deurbel gaat en dat Winston Gerschtanowitz ons de straatprijs overhandigt.

Thomas zet door met zijn onbewuste getreiter. 'Het huis van je moeder staat nu bijna anderhalf jaar te koop. Ronald wil echt niks meer van de prijs afdoen, dus het zou goed kunnen dat het nog wel even gaat duren. De huizenmarkt ligt gelukkig niet in onze buurt, maar wel in grote delen van Nederland, en zeker in Limburg op zijn gat. Zo'n jaar extra belastingen kunnen we ons niet meer veroorloven. Ons huis daarentegen: de kans is groot dat we het binnen een maand verkopen. Er zijn genoeg kapers op de kust, dat weet jij ook. Alleen al de kaartjes van makelaars die we dagelijks in de bus krijgen omdat klanten in onze straat willen wonen. Het huis van je moeder? Ja, het huis van je moeder is ook mooi, dat bedoel ik niet, maar het is verouderd en bovendien staat het aan de verkeerde kant van Nederland. We maken waarschijnlijk zelfs winst, dan kunnen we het nog verbouwen. En de kinderen; ach, die hebben de vorige verhuizing overleefd, ze overleven deze ook wel weer. En als ons huis niet binnen twee maanden verkocht wordt, blijven jullie er gewoon nog even wonen.'

Ik begin te lachen. Het klinkt hysterisch met van die hoge uithalen. Ik lach terwijl de tranen over mijn wangen rollen.

'Wat is er nou zo grappig?' Thomas kijkt me bijna beteuterd aan.

'Wij gaan aan de verkeerde kant van het land wonen, maar eerst ga jij en je krijgt iets met de dochter van madame de la Rosette en dan krijg ik kanker.' Terwijl ik steeds harder gil, komt Thomas naast me op de bank zitten. Hij kijkt me met grote ogen aan. We wonen onder één dak, zijn met elkaar getrouwd en hebben kinderen samen. Maar nu zijn we twee planeten die elk ronddolen in hun eigen baan. Uitwendig functioneren we als één, maar inwendig graven we onze eigen gangenstelsels, met een zelfgekozen tactiek en overlevingsmechanisme.

'Wie is madame de la Rosette?' Met zijn stem trekt Thomas me uit de hysterie. Mijn verleden hoeft niet mijn toekomst te worden. Hij weet niets van madame de la Rosette. Net zomin als hij weet hoe de verhuizing naar Limburg mijn beeld van ons harmonieuze gezin heeft verpulverd.

De verslaglegging van de succeskant van mijn leven, om met mijn verliefde kop indruk op Thomas te maken, heeft ongeveer een maand geduurd. Toen ontdekte ik dat hij niet luisterde als ik onder het genot van een fles wijn vertelde over bijvoorbeeld de leraar geschiedenis en hoe we hem te grazen namen, mijn gebroken arm, die keer dat ik door het ijs ben gezakt. Het enige wat hij deed was verliefd in mijn ogen staren. Stug ploeterde ik door om mijzelf te overtuigen dat ik hem verdiende. Ik was zo dapper geweest om in Belize langs een touwladder in een donkere grot af te dalen, ik had mijn eerste betaalde baantje al toen ik negen was, en toen ik vijftien was, heeft een vriendje een andere jongen knock-out geslagen op een schoolfeest omdat die verkering met me vroeg. En laten we vooral het verhaal van onze ontmoeting niet vergeten. Op een sneeuwhelling in Frankrijk bood hij zijn handschoen aan, nadat hij me omver had gegooid met zijn snowboard. Een vriend van hem had hem teruggefloten en hem de halve berg voor mij op laten lopen. 'Daar heb ik geen seconde spijt van gehad,' was alles wat hij zei.

Woorden bleken overbodig. Niet de verhalen van wat me overkomen was bekoorden hem, maar wel de persoon die daardoor voor hem zat. Ik hoefde niets te zeggen, ik hoefde alleen maar te zíjn. Kon onze liefde maar leven van die herinnering alleen.

XXVIII

'We moeten nog wat aanpassingen doen. Volgens de make-laar zal het kappen van de kastanjeboom helpen. De weini-ge geïnteresseerden die er de laatste maanden zijn geweest, klaagden er bijna allemaal over dat de boom zo groot is en dat hij al het daglicht wegneemt in de slaapkamer voor.'

Ik hoor mijn broer praten, maar ik snap het niet. Hoe kunnen mensen onze boom wegwensen? Die prachtige boom, sterk genoeg om de stok te houden waar ik mijn eer-ste acrobatische acts op uitoefende. Zijn geruststellend ge-ruis, de grond eronder die in het najaar bezaaid lag met kas-tanjes, bruin en rond als chocoladebonbons. En in het voorjaar sneeuwde het bloesem bij harde wind. In de tuin legden witte vlokjes een wolkenloper bijna tot aan de voor-deur. De takken raken de kozijnen van mijn moeders slaap-kamerraam. Vanaf windkracht drie tikken ze geruststellend tegen haar raam; wees niet bang, wij zijn je bescherming.

'De donkere meubels weghalen zou ook schelen. De se-cretaire op mama's slaapkamer bijvoorbeeld. Dan moeten we de lade waarvan de sleutel weg is maar openbreken, en de inhoud van de bureaukast kunnen we samen verder uit-zoeken.' Ronalds opgefokte stem snijdt dwars door mijn ge-mijmer.

Even zeg ik niets. Het gevoel van verwijt is te hevig. We hebben biedingen genoeg gehad waarop Ronald alleen maar ja had hoeven zeggen om Thomas en mij uit de financiële misère te houden. Die verdomde principes van mijn broer aangaande het vasthouden aan de vraagprijs. Thomas werpt me dagelijks onderwijsvacatures in de schoot. Steevast leg ik ze naast me neer en daar wordt hij boos over. Al die ruzies zouden er helemaal niet zijn als mama's huis verkocht was.

Even later hoor ik mezelf toch redelijk rustig en beheerst door de telefoon zeggen: 'Oké, Ronald, als jij denkt dat het helpt om het huis op te pimpen, ga ik met je mee. Ja, vrijdagochtend is goed, dan zijn we zaterdagavond weer thuis.'

Als ik 's avonds mijn tanden sta te poetsen, hoor ik vanaf de zolder heel zacht gehuil. Even stop ik met poetsen en concentreer me op het ritme, de klank en de hoogte van het gesnik. Het is Lotta. Frederikke huilt anders, minder ingetogen, en meestal met andere geluiden erdoorheen, zoals het snuiten van haar neus, een hikje of een gaap. Ik zet de borstel in de zebrabeker en veeg terwijl ik de badkamer uit loop mijn mond af aan de mouw van Thomas' badjas. Op de trap naar de zolder vraag ik me af waarom hij de laatste tijd zo anders ruikt. Ook zijn badjas verraadt dat dure, nieuwe luchtje. Als hij daar zijn geld aan denkt te kunnen uitgeven, dan vind ik dat in onze situatie wel heel onredelijk.

Lotta's kamer is één groot altaar. Overal staan en liggen foto's van oma en het steentje dat mijn moeder Lotta had gegeven voor haar eerste diploma ligt in het midden van het tafeltje voor de spiegel. Aan die spiegel hangen de gedroogde bloemkettingen die we met z'n allen hebben gemaakt toen oma net overleden was. Tegen de spiegellijst staan naast de foto's ook allerlei bewaarde kaarten, met mama's handschrift naar voren gedraaid. In een flits zie ik op weg naar het bed, waar Lotta opgekruld onder een deken ligt te snikken, oma's jas aan een knaapje hangen. Ik vraag me af waar ze die in vredesnaam vandaan heeft. Ze moet hem een keer stiekem in haar tas hebben gestopt. Als ze erom gevraagd had, zou ik hem met alle liefde aan haar gegeven hebben. Ik ga op haar bed zitten en leg mijn hand op de bolling die haar rug verraadt. 'Meisje toch,' sus ik, 'meisje, mijn meisje, waarom huil je zo?'

Ze is stil als ik tegen haar praat, maar meteen daarna vangt het regelmatige gesnik weer aan. Mijn hand beweegt ritmisch mee met het schokken van haar rug. De woorden komen niet, en ik besluit het anders aan te pakken. 'Mis je oma nog steeds zo?'

Het geluid wordt nu harder en ik denk net dat ik in de roos heb geschoten en dat ik mijn kind toch wel heel goed ken, als ze zegt: 'Ik huil helemáál niet om oma, ik weet niet eens meer hoe ze er in het echt uitziet.' Bij die ontboezeming stijgt het volume van haar gesnik met een paar decibel. Geschrokken sluit ik de deur van haar kamer omdat ik bang ben dat Frederikke wakker zal worden.

Ondertussen is ze overeind gekomen, wrijft onhandig met de buitenkant van haar hand in haar ogen. Ze trekt haar karamel-met-witte nachthemd over haar knieën, slierten dik donkerblond haar vallen slordig om haar trieste bruine ogen. Terwijl ze nog nasnikt, zie ik haar hele lijfje trillen op haar inademing, en dat herhaalt zich een paar keer, tot ze genoeg moed verzameld heeft voor haar vraag. 'Gaan jij en papa scheiden?'

Wat ze zegt komt voor mij zo uit de lucht vallen dat de woorden eerst niet tot me doordringen. Ze moet aanvoelen dat ze me ermee overrompelt, want ze legt uit dat sinds oma dood is alles wel een beetje dood lijkt. 'Weet je nog, mama, dat we vroeger altijd samen in de kamer dansten na het eten? Dat papa Kobus dan op zijn schouders nam en mij er ook nog bij in de houdgreep en dat jij dan altijd heel hard om hem moest lachen?' Op mijn knik legt ze verder uit hoe alles voor haar is veranderd. Niet alleen de dood van oma, ook de verhuizing, de nieuwe school, haar klas en de straat passeren de revue, in een voor haar leeftijd verbazingwekkende vlaag van heimwee en nostalgie.

Ze besluit met de opmerking dat ze echt niet wil dat papa bij de buurvrouw gaat wonen, en op mijn vraag hoe ze daar nou weer bij komt, zegt ze overstuur dat ik het toch gemerkt moet hebben. Dat papa de laatste tijd steeds vaker en langer bij de buurvrouw is.

Ik blijf haar rug aaien terwijl ik razendsnel probeer mijn gedachten te ordenen. De waarheid is dat ik, tot die keer dat de buurvrouw met Thomas aan onze tafel zat, niets had gemerkt. Ik heb niets gemerkt om de doodeenvoudige reden dat ik het te druk had met mezelf. We hebben er een potje van gemaakt; Thomas, maar ik niet minder. Ik heb er nauwelijks bij stilgestaan wat de dood van oma en mijn reactie daarop voor de kinderen heeft betekend. Om over enige empathie voor mijn echtgenoot helemaal maar te zwijgen.

Wat heeft Lotta gezien? Wat speelt er tussen Thomas en de buurvrouw en hoe lang al? Eigenlijk wil ik het niet eens weten. Feitelijk doet het er namelijk niet toe, mits het tenminste klopt wat ik denk. Dat hij nog steeds, ondanks alles, zielsveel van me houdt.

Met een paar zinnen stel ik haar gerust, zeg dat alles goed zal komen, en weet dat ik het méén, dat ik heel hard mijn best ga doen. Meer nog dan háár, overtuig ik mezelf; nooit tevoren ben ik zo vastberaden over iets geweest.

De volgende ochtend, als ik met Thomas in de badkamer sta, merk ik dat het gemakkelijker was om Lotta de belofte te doen dan de daad bij het woord te voegen. Ik was van plan iets liefs tegen hem te zeggen, maar de onbekende geur die om Thomas heen hangt houdt me tegen, net als de afgemeten stem waarmee hij me verzoekt zijn handdoek aan te geven na zijn douche.

Het valt me nu pas op dat we elkaar al lange tijd niet eens goedemorgen meer wensen, laat staan dat we elkaar kussen zoals we vroeger altijd deden. Even twijfel ik nog en komt de gedachte bij me op dat het vechten tegen de bier-kaai is, dat het te laat is en hij ons heeft opgegeven. Als ik hem dan toch een zoen geef, vol op de mond, en hem daar-bij net zoals vroeger even in zijn rechterbil knijp, reageert hij verbaasd, maar ook verheugd. Meteen stelt hij voor om als ik zaterdagavond terugkom uit Limburg iets gezelligs samen te doen. Daarna verlaat hij fluitend het huis voor zijn werk en ik breng de kinderen naar school en knuffel extra lang met Lotta, die het toelaat dat ik haar omhels, ook al staan we bij het schoolplein nog zo in het zicht van haar klasgenootjes.

Precies om tien uur, de afgesproken tijd, hoor ik de claxon van Ronalds auto. Ik pak mijn tas, gris nog snel de sleutel-bos van mama uit het gangkastje en trek de deur van ons huis met een harde klap achter me dicht.

Tot de brug bij Zaltbommel verloopt de reis voorspel-baar. Het verkeer is rustig, geen files op dit tijdstip. Ronald rijdt honderd op de linkerbaan, zoals vanouds foeterend op de toeterende auto's achter hem. Iedereen hoort zich aan de snelheidslimiet te houden en degenen die dat niet doen, zal hij wel even een lesje leren.

Ik kijk naar het landschap rondom en de grijze banen met witte strepen die onder de autobanden uit rollen en in mij nestelt zich de rust in mijn hoofd als zout op een ijzig wegdek. Voor het eerst voel ik me daadkrachtig genoeg om actief te zijn. Ik overweeg zelfs even om in te gaan op Thomas' voorstel. De oplossing die een einde zal maken aan onze malaise ligt zo voor de hand. De boel financieel weer op de rails krijgen, dat is voor ons gezin het allerbelangrijkst. Een bijkomend voordeel is dat het het einde zou betekenen van dat wat er tussen Thomas en de buurvrouw zou zijn. Een verhuizing naar Limburg moet ik dan maar op de koop toe nemen. De hypotheeklast zal meer dan duizend euro per maand lager uitvallen. Ons huis zullen we met winst – hoe klein ook – verkopen.

Verandering, zelfs een duik in het verleden, biedt mij de kans om uit mijn impasse te komen.

Ter hoogte van Culemborg, daar waar de Fords in de open showroom op elkaar gestapeld lijken te staan, verlaat de positiviteit elke porie van mijn huid, bijna gelijktijdig met het betrekken van de lucht. De weilanden met hier en daar een koe, het beton van een Vinex-wijk, een gevarendriehoek op de vluchtstrook met daarachter een auto met pech: in alles vind ik ineens weer een bewijs voor onheil en ellende.

Misschien heeft mijn zwijgen hem geholpen om het onderwerp aan te snijden dat al die maanden al op het puntje van zijn tong ligt. Ik heb het gevoeld, dat het hem dwarszit, ik heb gevoeld dat hij mij iets kwalijk neemt.

'Jij liet mama natuurlijk ook nooit met rust.' Zijn woorden bereiken mij als het gif van een cobra. Lamgeslagen val ik met mijn rug in het zachte leer van de leuning.

'Wat bedoel je?' Mijn adem piept terwijl ik mijn vuisten bal en me schrap zet voor wat komen gaat.

'Het is begonnen toen Lotta werd geboren. Of nee, eigenlijk natuurlijk na de dood van papa, toen jij ineens zwanger bleek te zijn,' zegt Ronald. Geen greintje begrip of een poging daartoe klinkt door in zijn stem, het is voor hem nu of nooit. En in deze auto heeft hij me klem; noodgedwongen luister ik naar wat hij te zeggen heeft.

'Je claimde haar volledig. Nog geen weekend heb je haar gegund om een netwerk op te bouwen. Altijd moest ze weer opdraven. Frederikke had oorpijn en jullie moesten werken, of jullie hadden een feest. Ieder ander laat dan een oppas komen en is op een gewone tijd thuis, maar nee, jullie moesten in de late uurtjes straalbezopen binnen komen vallen. Uitgehold hebben jullie haar, steeds maar weer maakte ze om elk wissewasje die lange treinreis. Er zijn weekenden geweest dat ook wij haar nodig hadden. Altijd weer dat antwoord van haar: 'Nee, dan ga ik al naar Marieke en Thomas.' En als ze dan eens bij ons was, kwam jij ook weer aanzetten, liefst met die drie koters van je, die je dan zomaar liet logeren. Oma zei geen nee en het kwam niet in je stomme kop op om ons even te bellen om te vragen of wij het misschien niet heel vervelend vonden bij thuiskomst te zien hoe jouw kinderen ons huis op stelten hadden gezet. Weet je wat het eerste was wat ik zag na ons weekendje Parijs? Jouw zoon op schoot bij mama, met een smeltend ijsje dat hij achteloos naast zich op onze nieuwe bank had gelegd.'

Ronald raast door, de kilometerteller wijst honderdveertig, zijn gezicht is wit, zijn mond een streep. Hij praat zachtjes nu. Hij denkt misschien dat hij beheerst overkomt, maar de vlijmscherpe aanklacht en zijn stem vol ingehouden woede laten mij iets heel anders voelen.

Wat hij daarna zegt, versta ik in eerste instantie niet, of misschien wil ik het niet verstaan. Hij praat over dat ik toen mijn telefoon niet heb opgenomen. Ik heb zelfs toegegeven dat ik gewoon thuis was en toch heb ik de telefoon niet opgenomen. Papa's noodkreet was voor mij bestemd, niet voor Ronald maar voor mij. Hoe ik kon leven met dat schuldgevoel, het is hem een raadsel. Ik pak mijn mobieltje uit mijn tas en houd het in mijn handen geklemd om houvast te vinden, hier draait uiteindelijk alles om. Ronald verwijt mij iets veel omvangrijkers dan ik tot nu toe dacht. Hij verwijt mij papa's dood. Omdat ik die avond de telefoon niet heb opgenomen.

De hartstilstand: mama's smoes voor de dood van papa, daar heeft hij al die tijd dankbaar gebruik van gemaakt, alles om de muren maar hoog te houden voor de buitenwereld.

Alsof ik een lifter ben die hij heeft meegenomen, begint hij ineens over het weer en vraagt of ik nog een beker koffie voor hem wil inschenken uit de thermoskan. Mijn stem klinkt bibberig. Kurkdroog voelt mijn mond en mijn hand klauwt naar het portier als ik zeg: 'Stop. Wil je alsjeblieft stoppen?'

'Of ik wil stoppen?' Ronalds stem klinkt ijskoud als hij vervolgt: 'Ja hoor, dat wil ik wel, stoppen.' Hij geeft een ruk aan het stuur naar rechts. De auto schuift over de doorgetrokken lijn aan het einde van de afrit. Achter ons moet iemand vol op de rem. Ik hoor getoeter en het geluid van schurende banden. Met een schok komt de auto tot stilstand in de berm. In een waas van opkomende tranen, maar ook zenuwachtig lachend vraag ik nog: 'Is dit onze bedoeling?' Tegelijkertijd open ik het portier en stap uit.

Ongelovig staar ik de blauwe Volvo na die onmiddellijk nadat ik ben uitgestapt weer optrekt. Ontdaan van de last, wat kilo's uit een luchtballon gegooid om het bakbeest in de lucht te houden.

Op het gras in de berm wacht ik tot hij terugkomt. Eerst ben ik er zeker van dat hij me hier niet zo zal laten staan. Maar als de minuten verstrijken en het begint te regenen, ga ik lopen. Het asfalt en het met zwart roet bedekte gras strekken zich mistroostig voor me uit. Alles voelt zwart, de plek en de lucht trekken op mijn inademing een spoor van verderf, de sombere omgeving nestelt zich in mijn ingewanden. Zachte motregen en mijn hoge hakken die wegzakken in de natte grond naast de vluchtstrook.

Via een brug loop ik naar de andere kant van de snelweg. Mijn gedachten worden blanco, ik voel niets meer.

Getoeter van auto's, een regenboog in de verte, weilanden en een waterig zonnetje. Mechanisch breng ik mijn duim omhoog, alsof mijn hersenen aangestuurd worden door iets van buitenaf. Twee minuten later stopt er een auto die me op mijn verzoek afzet bij het dichtstbijzijnde station.

Tijdens de treinreis terug naar huis ligt de kaart van Nederland op mijn netvlies: een vrijwaring voor diepere zielenroerselen. Had ik niet allang thuis kunnen zijn als ik de andere kant op gelift zou zijn?

Mijn sleutels noch mijn mobiele telefoon zitten in mijn tas. Ik kom er pas achter als de trein het station in rijdt. Wel de oude sleutelbos van mijn moeder, met haar huissleutels, fiets- en autosleutel eraan. Tussen mijn vingers bungelt de Eiffeltoren. Cadeautje van Hélène toen mijn moeder de bos eens drie keer achter elkaar kwijtgeraakt was.

Mijn voornemen ontstaat vanuit de noodzaak en vanuit die ene zin van mijn broer, vlak voor ik bij hem uit de auto stapte. Hij had iets gepreveld, iets wat ik niet kon duiden, maar waarvan ik de betekenis hoe dan ook moest achterhalen. De kinderen en Thomas komen pas in de avond thuis. Hier ligt mijn kans, een plan dat lang had liggen rijpen, en dat plan moet ik nu, met Ronalds uitspraak in mijn achterhoofd, ten uitvoer brengen. Zijn woorden – ze hadden geklonken als uit de mond van iemand anders, als een jammerklacht met een dramatiek die hem niet eigen was: 'Waarom heb ik iets gezien? Waarom heb ik mijn ogen met schuld beladen?'

Het huis in de Kersenlaan staat er trots en statig bij. Van de buitenkant een juweel, alles strak in de verf en vriendelijk ogend met het balkonnetje met de bloembakken, de rode stenen in de voortuin. Het is alsof er andere mensen wonen, nu ik niet naar binnen kan. Op mijn aanbellen wordt logischerwijs niet opengedaan.

Het begint weer te regenen; dikke woeste druppels worden door de wind in mijn gezicht geblazen. Ik draai me om en mijn blik fixeert zich op het nummerbord van het witte autootje voor de deur. Het cijfer 1 voor de eerste twee letters herinnert me aan het originele kentekenbewijs dat ik vond op de dag van mama's dood. Naast de tafel in de hospice stond een groene tas met in een zijvakje haar paspoort, verzekeringspasje en het bewijs waar ik toen op de zolder van het ouderlijk huis zo naar gezocht heb. Mijn geheugen duwt de herinnering naar voren aan wat ik toen wel heb gevonden. Een naam. Een naam heb ik gelezen, een naam die toegang geeft tot een bestemming, tot antwoorden.

Het omdraaien van de sleutel in het portierslot gaat

moeizaam vanwege mijn ongecontroleerde bewegingen. In de auto, die beschutting biedt tegen de regen die nu met bakken uit de hemel valt, doorzoek ik mijn tas. Bonnetjes, sommige heel oud, vallen op de grond, een foto van de kinderen belandt tussen de koppeling en de handrem, samen met de bibliotheekpas en de ns-kortingskaart. Als de hele inhoud van de tas op de bijrijdersstoel ligt uitgestald, vind ik het adres, op een gekreukt kassabonnetje van lang geleden. Het is bij de Utrechtse Heuvelrug. De snelweg kan ik in elk geval vinden, daarna zie ik wel verder.

Het is alsof mijn moeders geest bezit van me neemt. Het stuur waar haar vingers om hebben gelegen, glijdt in de mijne. Ik laat me in de stoel zakken alsof ik op mama's schoot kruip. Het cassettebandje dat altijd in haar auto bleef liggen, leg ik in het gleufje boven de asbak. De klanken van de Mis in b-klein van Bach vullen de ruimte.

Ik geef gas. De zon vecht met de wolken. Op de randweg waait het zo hard dat de auto slingert. Ik draai de raampjes open, voel me vrij. Alleen met mijn gedachten en de klanken van het Sanctus uit de *Hohe Messe* stuur ik naar het eindpunt, ontdaan van ketenen. *Benedictus qui venit in nomine Domini*. De straffe wind heeft de auto in zijn greep. Terwijl ik engelen rondom mij hoor zingen: 'Gezegend die komt in de naam des Heren,' speelt de storm met mij in de auto. Maar ik wil niet, neem het heft in handen en stuur terug, alles onder controle, netjes over de weg. De weg die me leidt. Ik voel het zweet over mijn wangen lopen, in mijn nek. Mijn adem giert door mijn keel. Ik tast in gedachten het gezicht van mijn moeder af, als zet ik de eerste vegen op een blanco schildersdoek. Mijn besluit is genomen. Ik wil begrijpen, ik wil weten.

De kilometerteller wijst nu honderdvijftig. Alles gromt

en giert. Het slotkoor, een hoogtepunt, het aanheffen van stemmen die boven elkaar uit willen komen, een lokroep van de engelen. *Agnus Dei qui tollis peccata mundi, dona nobis pacem.* Kom maar, geef je maar over, kom maar, het is goed zo. Papa... mama...

XXIX

De auto slipt in de modder als ik het weggetje in sla. Ik moest het wel vier keer vragen. Niemand wist het adres en ik begrijp nu waarom. Het is niet meer dan een bospad waarover ik rijd.

Voorzichtig stuur ik bij. Het Peugeotje glibbert over het pad, tussen de bomen door die aan weerskanten staan. Takken slaan op het dak, tegen de ruiten. Het is rond vieren en toch hebben de bomen de schemering al in hun takken getrokken. Het pad lijkt eindeloos en ik ben als de dood dat het licht dat ik in de verte ontwaar afkomstig is van de koplampen van een tegenligger. Stel je voor dat ik op dit pad achteruit moet, dat lukt me nooit. Omkeren is uitgesloten.

Na nog zeker vijfhonderd meter opspattend water, een hotsende auto en de regen die me het zicht voor een groot deel ontneemt, ligt links voor me een huisje. Het is van wit natuursteen, met een rieten dak dat aan vervanging toe is. De houten deur is in rood geschilderd en het huis heeft een brede veranda. Aan balustraden hangen bakken met heideplanten.

Ik parkeer de auto in het gras, dat drijfzand lijkt als ik mijn laars erin zet. Mijn voet wrikt zich moeiteloos los, maar mijn laars blijft staan terwijl de modder opnieuw aan mijn voet zuigt. Hulpeloos kijk ik rond, ik zoek houvast als mijn enkel in de aarde verdwijnt.

Ineens staat ze naast me. Ze moet de auto hebben gehoord, of misschien mijn schreeuw. Ik herken haar van lang, heel lang geleden. Het is vooral haar kleding die mijn geheugen activeert: eenzelfde soort lange rok van dik fluweel, het mollige lichaam met de flinke boezem. Onder de rok steekt een stel groene kaplaarzen uit, die om onverklaarbare reden niet in de modder wegzakken. Ze heeft inderhaast een wollen omslagdoek om haar schouders gedrapeerd, maar zij wordt net als ik binnen de kortste keren kletsnat. Lange slierten inmiddels grijs haar bedekken gedeeltelijk haar gezicht als ze met een ferme ruk mijn been uit de modder trekt. De vrouw die toentertijd met de rector bij mijn moeder op de stoep stond, lijkt op vrouw Holle uit het gelijknamige sprookje.

Een dikke laag zwarte aarde bedekt mijn pantykous, en ook de laars met de hoge hak die ze na enig wrikken pas loskrijgt, heeft door de modder een ander formaat en een andere kleur gekregen. Ze trekt me mee, de veranda op die overdekt wordt door het dak van het huis, en gebaart me mijn kous uit te trekken. Met een tuinslang spuit ze mijn voet schoon en ze gooit me vervolgens een handdoek toe. Al die tijd heeft ze nog geen woord gezegd.

Binnen zet het sprookje van vrouw Holle zich voort. Houtblokken in een potkachel, zeker twintig kaarsjes met dansende vlammetjes stuwen de temperatuur verder op naar saunawarmte. Langs de muren van het piepkleine woonkamertje staan schildersdoeken, etsen en gravures, rijen dik. En op de vensterbanken liggen tussen de kaarsen stapels kaarten met afbeeldingen van engeltjes, zandlopers en heiligen.

Ze schenkt thee voor me in, met een flinke scheut rum. Dan rommelt ze wat in een kast. Ik krijg een paar zelfgebreide sokken toegeworpen. 'Houd u ze maar, mevrouw Steen.'

Op de foto die ze vervolgens op mijn schoot legt, zie ik het gezicht van een vrouw van in de dertig. Lang donkerbruin haar valt rond een ovaal gezicht. Vooral de neus is herkenbaar. Een fijn, bijna parmantig neusje met enkele sproetjes bovenaan op de neusbrug, gelijk aan de mijne.

De ogen herken ik niet. Ze zijn groot en groen. Als ik opkijk, zie ik de blik van mevrouw Harper intens op me gericht. Josephine Harper heeft de ogen van haar moeder.

'Je lijkt op haar,' zegt ze met trillende stem.

'Uw dochter?' vraag ik terwijl het zweet me uitbreekt vooruitlopend op haar antwoord. Mijn hart klopt in mijn keel. Terwijl ze knikt, maken mijn bezwete en nog steeds met modder bezoedelde vingers vlekken op de foto. 'Josephine, was uw halfzus. De gelijkenis is treffend.'

Ze overhandigt me nog iets. Een envelop met de naam van de rector van papa's oude school. Ik veeg mijn vingers af aan mijn spijkerbroek, maar zie later toch afdrukken op de brief die ik uit de envelop haal. Mijn handen bibberen zo dat ik in eerste instantie denk dat het door mij komt dat de letters op het papier zo schots en scheef staan. Alsof ik niet normaal kan lezen nu het besef tot me doordringt.

Ik had een zus. Al die jaren had ik een zus en ik wist het niet. Blijdschap en verdriet spelen secondelang tikkertje. Mijn halfzus is geboren en gestorven tijdens dit ene bezoek van mij aan mevrouw Harper.

Ik trek de brief glad tussen de vingers van mijn beide handen. Concentreer me op de tekst. De hanenpoten, de bogen van de medeklinkers naar rechts en links. Mijn adem giert door mijn keel. Een aardverschuiving in één donder-slag. Dit handschrift is ontegenzeglijk het handschrift van mijn broer, zoals ik de krabbels in zijn moederdaggedicht-jes heb voorgelezen, gesteld in een liefdevolle taal van rijm-pjes en versjes van een zoon aan zijn moeder.

Wat ik hier lees, bevat een tegenovergestelde boodschap. Een bericht van een verrader, weliswaar in kinderlijke be-woordingen, maar toch een koud bericht van een persoon die moedwillig kwaad wil doen, iemand die zijn gram wil halen.

De brief die heeft geleid tot onze verhuizing naar Lim-burg, die de loop van het leven voor alle vier de leden van ons gezin heeft bepaald, telt slechts vier regels. Ze vertellen wat de briefschrijver heeft gezien tussen de leraar en de leerling. Zij: naakt in een geïmproviseerde kleedruimte tij-dens de toneelrepetities van *Antigone*. En de leraar die naar haar gluurde. De blikken op het naakte meisje werden door de leraar onvermoed gedeeld met de anonieme briefschrij-ver via een gat in de muur. Ook staat er in de brief iets over een wandeling van het meisje en de leraar.

Blikken, wandelen: zo onschuldig dat de aantijging in mijn ogen zeker niet genoeg redenen zou geven om de le-raar uit zijn functie te zetten. En toch was dat klaarblijke-lijk gebeurd. Mijn vader was ontslagen op basis van die ene anonieme brief van zijn zoon.

'Hoe kon ik het ontkennen?' Mevrouw Harper schudt nu bijna ruw aan mijn arm. Haar ogen vragen iets wat ik nog niet helemaal begrijp. 'Mijn dochter moest tegen zichzelf en de waarheid in bescherming worden genomen, dat was mijn zorg. Je vader heeft haar alleen met zijn ogen aange-raakt. De rector kwam bij me langs met de brief toen Jose-phine op school zat. Ik heb niets ontkend. Ik moest mijn dochter tegen zichzelf in bescherming nemen. Ze dacht dat ze verliefd op hem was. Mijn dochter verwarde verliefdheid met de bloedband die ze moet hebben gevoeld. Wat kon ik anders dan haar bij hem weghalen?'

Bedonderd voel ik me, bedonderd maar ook opgelucht dat er een einde is gekomen aan speculaties, aan nachtenlang wakker liggen en het in mijn hoofd volgen van sporen die telkenmale tot niets leidden.

Met de brief in de hand sta ik op en ik loop naar de boekenkast in de hoek van de kamer, die uitpuilt van tijdschriften, oude kranten en schots en scheef staande en liggende boeken. Vooral veel werken van Ovidius liggen op elkaar in een wanordelijk stapeltje. In een van de boeken lees ik een gedicht waarin ik de woorden herken waarmee ik de ontrouw van mijn vader dacht te ontdekken. Die ene nacht dat zowel hij als ik niet kon slapen. De regels declameer ik als een weeklacht voor de doden, een vruchteloze poging om hen op te wekken uit hun eeuwige slaap. Maar als ik de pijn in de ogen van mevrouw Harper zie, verstomt mijn stem en laat ik me verslagen in de stoel vallen.

Enigszins nerveus schenkt ze me nogmaals in. Met omgekeerde verhoudingen kalmeert ze me: driekwart rum en een scheut thee giet de oude vrouw in mijn mok.

Mijn gedachten maken ruimte voor iets wat de term berusting nog het beste benadert. Ik denk aan mijn moeders woorden. Dat iedereen altijd zijn eigen waarheid in zijn eigen waarneming voegt en hoe weinig zin het heeft om om te kijken in wrok, om verbitterd te raken. Bewust trek ik mijn hand niet weg als mevrouw Harper haar hand op de mijne legt.

In de kamer is het nu donker. Enkel het licht van de kaarsen en de kachel, met de vlammen die achter het deurtje flikkeren. Weer overvalt me het gevoel dat ik in een sprookje ben beland. Vrouw Holle die nu met haar hand onder een kanten lampenkap de kamer in een zachtroze licht zet en met geëmotioneerde stem vraagt of ik soep wil. Ik voel nu pas hoe hongerig ik ben. Bovendien heeft de drank in de thee me slaperig gemaakt. Soep. De laatste die me dat aanbood was mijn moeder. 'Ja, heerlijk.'

Bij het afscheid drukt ze me een map in handen met de gegevens van een spaardepositorekening. Josephines nalatenschap. Verdiend met haar vertalingen en werkzaamheden voor de landelijke onderzoeksschool voor klassieke studies, waar mijn vader ook dikwijls werk voor deed. 'Je moeder wilde dat jij het hele bedrag kreeg. Ik heb het niet nodig. Ronald zou willen weten waar het geld vandaan komt. Het is je moeders nadrukkelijke wens hem niets te vertellen. Gebruik het goed, investeer in iets waar hij ook de vruchten van kan plukken. Zo zou Josephine het hebben gewild.'

Mijn knieën voelen stijf aan als ik ga staan. Alsof ik naar een urenlange voorstelling in het theater heb gekeken.

Als ik in de auto zit, sla ik nieuwsgierig de spaarmap open. Een plastic opbergvakje met plakband is aan de binnenkant van het omslag bevestigd. Twee foto's haal ik eruit. De ene is een klassenfoto met Josephine vrolijk lachend naast mijn vader op de achterste rij. De andere foto toont mijn moeder die Josephine helpt de vingers op een dwarsfluit te leggen. Papa heeft zijn arm om mama heen geslagen, zijn blik is gericht op het meisje. Op de achtergrond zie ik wat leerlingen. Naast een tafel die gedekt is voor een fondue staat een klein meisje, in wie ik mezelf herken, aan een lolly te likken.

Ik parkeer voor de deur van ons huis. Als mijn bumper de auto voor me raakt, zie ik in het licht van de koplampen dat het een politiebusje is. Ik ren naar de voordeur en bel aan.

'Mama.' De tranen stromen over Lotta's wangen. 'Mama is thuis, mama is terecht.' Door het dolle heen schreeuwt ze, danst ze, springt ze. Thomas komt de gang in, eveneens huilend. Samen trekken ze me de woonkamer in.

De politiemannen schieten bij mijn binnenkomst overeind. Ik hoor de ene door zijn portofoon melding maken van mijn terugkeer. Ze tikken tegen hun petten en spreken me voor ze de deur uit stappen vermanend toe. 'Nooit meer uw man en kinderen zo laten schrikken, mevrouwtje. Voor deze keer zullen ze u het nog wel vergeven, maar laat het niet nog eens gebeuren.'

We gaan zitten, dicht tegen elkaar aan op de bank. De kinderen kunnen niet ophouden met me te kussen, te aaien, aan te raken. Thomas heeft zijn arm om me heen geslagen en streelt mijn wang. Hij heeft zojuist weer Ronald gebeld. Met de hoorn aan mijn oor hoor ik mijn broer 'halleluja' zeggen, waarbij ik moet denken aan die keer op rondreis door Latijns-Amerika. Mijn vader gebruikte hetzelfde woord toen het me na enkele weken pas lukte contact te maken met Nederland.

Ronald komt morgen mijn mobiel brengen. Via de ringtoon heeft hij hem gevonden onder de bijrijdersstoel. 'Nadat ik was doorgereden, heb ik toch maar de afslag genomen om je weer op te pikken.' Ik hoor een verontschuldigend lachje in zijn stem als hij zegt: 'Ik kwam in een file terecht voor het Autotron in Rosmalen.' Hij sluit af met: 'Sorry zus, sorry voor alles,' en meldt dat er nog bezichtigers zijn geweest voor mama's huis.

Als Thomas en ik de kinderen naar bed hebben gebracht,

lopen we automatisch door naar de slaapkamer. Afgepeigerd ben ik. Krachteloos lig ik in Thomas' armen maar het is een ontladende moeheid. Wat mijn vader bezield heeft blijft een raadsel. Wat een mens bezielt om er eigenhandig een eind aan te maken: dat antwoord komt niet met de dood.

Thomas loopt naar beneden en komt even later terug met een sigaret voor mij en de post van vandaag. Er zit een brief bij met het bericht dat de therapeut plaats voor me heeft. Ik zal geen gebruik van zijn diensten maken. In mijn hoofd zingt Iggy Pop 'Lust for Life'.

Mijn einde is nog lang niet in zicht. Het leven heeft juist weer aangevangen.

XXX

De piano zit vast. Muurvast tussen de trap, het toilet, de gangkast en de woonkamer. De Polen gebaren en schreeuwen. Een van hen begint van op de trap aan de piano te trekken. De stoere bouwvakker die we Tarzan noemden helpt hem. Hij doet eerst zijn T-shirt uit.

Buiten is het pikkedonker. De piano is het laatste meubelstuk dat niet meeverhuisd was, maar dat bij vrienden vlak bij ons oude huis zijn onderkomen vond. Na een hele lange tijd stond Bartosz ineens voor de deur. Achter hem herkende ik Kabouter en Samuel. Het leek alsof we weer midden in de verbouwing zaten.

'We come to fix the leakage,' verklaarde Bartosz. Meteen liep hij door naar het balkon. Een uurtje werk hadden ze eraan. Toch wat scheurtjes overgeslagen tijdens het voegen, legde Bartosz ons later op de avond uit met een bierflesje in de hand. Ik wilde kwaad worden, ik wilde hem het door vocht kromgetrokken parket laten zien, de reststrepen regen op de muur, de reparaties achteraf vanwege alle foute aansluitingen van de elektriciteit. Maar toen hij over de piano begon en zei dat ze hem zoals beloofd nog deze week zouden ophalen, hield ik toch maar mijn mond.

Alle bouwvakkers die betrokken waren bij onze verbouwing zijn meegekomen. Het lijkt wel een reünie. Zorro en Bodybuilder staan aan de ene kant aan de piano te sjorren, Kabouter en drie andere Polen aan de andere kant. Nog altijd zit er geen beweging in. Samuel komt met een houtvijl aan en zet hem tegen de deurpost. Onverstoorbaar haalt hij enkele centimeters van de deurpost af. Na een applaus slepen we de piano zonder problemen met z'n allen de woonkamer in. Als hij dan eindelijk staat, willen de Polen hun beloning. Ze klappen en joelen; ze willen dat ik wat ten gehore breng. Bodybuilder begeleidt me naar de pianokruk en ze gaan door met klappen nog voor ik een vinger op een toets heb gezet.

Ik schaam me kapot. Eigenlijk speel ik helemaal niet goed. De piano is voor mij een symbool. Het symbool van de hogere milieus: intellectuelen en gecultiveerden hebben een piano in huis. Mijn ouders hadden er een. Zoals ik na mama's dood vond dat voorlezen uit de Bijbel ook een deel van de opvoeding was en dat extra boekenkasten gekocht moesten worden voor papa's boeken, waarvan ik het merendeel niet had gelezen, zo moest en zou er ook een plaatsje zijn voor de piano.

Ik speel de eerste maten van *Für Elise*. Na drie maten hoor ik gebons achter me. De Polen beginnen mee te stampen en te klappen. Ik weet niet hoe het verder moet en repeteer daarom steeds dezelfde maten. Het deert ze niet, ze beginnen nu een kozakkendans en nemen Thomas en de kinderen tussen zich in.

Kabouter heeft blijkbaar genoeg van het deuntje. Hij gebaart me dat ik plaats moet maken. Hij wil op de kruk. Verontwaardigd over zijn brutaliteit – het is tenslotte mijn piano – pingel ik nog even door, maar uiteindelijk sta ik toch voor hem op.

Ik zie zijn vuile, met verfspikkels bedekte dikke vingers de toetsen beroeren. Dan tilt hij beide handen van de piano, de polsen lichtjes gebogen, de ogen gesloten. Ik loop naar de keuken om me een houding te geven en ga nog maar wat bier en cola pakken.

Wonderschoon is het geluid dat plotseling opklinkt. Rachmaninovs tweede pianoconcert. Ik herken de klanken van een van mijn favoriete stukken onmiddellijk. Thomas zie ik bij de deur staan. Hij kan mijn cd niet hebben opgezet. Nog voor ik me omdraai, dringt het tot me door. Kabouter; die kleine bouwvakker met zijn hansop en zijn rechtopstaande haren. Kabouter kan prachtig pianospelen. Degene die het meeste drinkt van allemaal en die me hoofdbrekens heeft bezorgd door steeds weer stomme fouten te maken in het huis. Met de wc-deur die hij naar de verkeerde kant liet opengaan, de drempels die hij te hoog bevestigde, de lelijk afgewerkte tegels in de badkamer.

Langzaam loop ik met de drankjes naar het midden van de kamer, waar de Polen eerbiedig in een kring op de grond zitten te luisteren. Thomas' ogen zijn stomverbaasd gericht op Kabouters rug en het haar daarboven, vol met verfresten en gruis. De kinderen zijn bij de Polen op schoot gaan zitten. Tijdens het hele moderato zegt niemand een woord, iedereen luistert in opperste concentratie. Als Kabouter overgaat op een blues, is dat voor de Polen een teken om weer te gaan praten. Thomas geeft hun een biertje, dat ze aanlengen met wodka uit een fles die Samuel opvist uit zijn overall. Een joint gaat rond. Thomas en ik krijgen ook een trekje. Kabouter heft een mij onbekende melodie aan en de Polen begeleiden hem met melancholisch gezang.

Bartosz maakt er op een gegeven moment een eind aan. Morgen om zes uur moeten de mannen alweer op om zich klaar te maken voor de klus waar ze nu aan werken. In de tuin van een monumentale villa wil de directeur van een bekende Nederlandse bank een gastenverblijf laten bouwen.

De volgende avond hebben mijn broer en ik afgesproken bij Ronald thuis. Hij stelt een gezellige avond in het vooruitzicht omdat de lucht weer geklaard is tussen ons. Maar ook heeft hij nog een nieuwtje. Als we in zijn van de nieuwste snufjes voorziene, modern ingerichte woonkamer zitten, met wijnglazen als ballonnen zo groot en een fles champagne voor ons in de koeler, weet ik het al. Ronald geeft zijn geld niet uit aan dure drank. Alleen zijn huwelijk en de eerste flinke promotie bij zijn oude werkgever vierde hij groots en daar hoorde dan champagne bij.

Het huis van mama is verkocht aan de laatste kijkers. Een stel fervente tuinierders die vooral enthousiast waren over de kastanjeboom in de voortuin. Hun bod was volgens Ronald 'eindelijk een keer van acceptabel niveau'.

'Ik heb ook nog het een en ander te vertellen,' zeg ik, volgens mij op een hele geheimzinnige toon, als Ronald een tweede glas champagne inschenkt.

Mevrouw Harper heeft me er vlak voor ik vertrok nog met een ernstig gezicht opmerkzaam op gemaakt. 'Neem het je broer niet kwalijk. Hij was jong en in zijn ogen was die brief alles wat hij in handen had om zijn moeder te beschermen. Hij kon niet weten waartoe zijn brief zou leiden. Wat hij wilde was juist zijn oude leventje behouden. De verhuizing naar Limburg is straf genoeg geweest.'

Opluchting voelde ik vooral. Opluchting toen mevrouw Harper vertelde over het bezoek aan mijn moeder. Dat had bij mama de twijfel weggenomen: papa's liefde voor haar was oprecht geweest, dat wat hij voor Josephine voelde, was van een andere orde.

Waarschijnlijk had die boodschap nog meer voor haar betekend dan het bericht dat Josephines dood, vlak na die van papa, veroorzaakt was door een hartaanval tijdens het hardlopen. Geen zelfdoding in navolging van, waar mama al die jaren een plaatsvervangend schuldgevoel over had opgebouwd.

Ronalds telefoon gaat op het moment dat ik het wil gaan vertellen. Ik zie hem gebogen over de tafel staan, graaien in de papieren. Een oude klant zegt zijn samenwerking met het bedrijf van Ronald op. De man aan de andere kant van de lijn praat zo hard dat ik hem woordelijk kan verstaan.

Sinds kort heeft Ronald zijn eigen accountantskantoor, aan huis. Hij wilde meer tijd besteden aan Boudewijn en Hélène en dat doet hun allen goed. Voor het eerst zag ik ze met z'n drieën grapjes maken tijdens de verjaardagsbarbecue van Ronald in zijn tuin vorige maand. Dat hij zijn verjaardag vierde, vond ik al een goed teken. Dat was de winst. Het verlies zit hem in de opdrachten die Ronald weigert. Hij wil geen belangenverstrengeling meer. Hij doet alleen nog maar controlerende opdrachten, geen advieswerk. Eerlijkheid betaalt zich niet uit in euro's. Het valt hem zwaar dat hij op deze manier klanten verliest. De hand die eerst op zijn wang ligt, verplaatst hij naar zijn rug. Terwijl hij met zijn rechterhand de BlackBerry vasthoudt en het gesprek zo beschaafd mogelijk afrondt, masseert zijn andere hand nu een spier onder in zijn rug.

Ik voel me weer dat meisje dat op de trap het gesprek afluisterde tussen mijn moeder en de collega van papa. Net als toen zullen mijn woorden niet aan Ronald besteed zijn. Hij zal met het verhaal van mevrouw Harper niets opschieten.

Mijn broer heeft opgehangen. Hij schenkt zichzelf bij. Minutenlang staart hij in het luchtledige. Alsof hij zich niet meer bewust is van mijn aanwezigheid. Als zijn stem de stilte verbreekt, schrik ik van de gelijkenis. Het is alsof ik mijn vader hoor, als hij zachtjes en bedeesd vraagt wat ik nou wilde zeggen.

'O nee, niets.' En in volle overtuiging vul ik de zin aan met: 'Bij nader inzien toch niet belangrijk genoeg.'

Ronald drukt me bij het weggaan een envelop in handen. 'Ik heb de secretaire op mama's slaapkamer opengebroken na ons akkefietje op de snelweg. Dit zat erin. Het is nogal heftig.' Hij zoent me op de wang.

Thuis open ik met trillende vingers de envelop met voorop een stempel van het politiekorps. Eerst scannen mijn ogen de persoonsgegevens. Naam, geboortedatum, geboorteplaats, het adres en nog wat voorgedrukte vragen. De gegevens van mijn vader zijn bijna niet te lezen op het roze velletje. Niet alle letters zijn door het carbonpapier heen gekomen. Bovendien is het handschrift onduidelijk. Iets onder de helft van de pagina staan mijn vaders sterfdag en de datum. Het tijdstip van zijn overlijden is een uur eerder dan mama me heeft verteld. Het is vastgesteld door de huisarts om drie minuten over elf in de ochtend. Als doodsoorzaak staat vermeld: verhanging. Als plaats van overlijden wordt de kastanjeboom in de voortuin van de overledene genoemd.

Epiloog

Het is schemerdonker in de kamer. De klok aan de muur geeft zeven uur aan. In de ruimte hangt de geur van muskus en haardvuur. Mijn klant is nog maar net de deur uit.

Uiteindelijk liep de afspraak van de oude bekende met de kno-arts dusdanig uit dat ze pas een uur later bij mij aanklopte. Voor mij geen ramp, want ik had ruimschoots de tijd het verhaal van de jonge vrouw af te ronden. Voordat ik de computer uitzet, zet ik het verhaal op cd en op een externe schijf. Zorgvuldigheid is van belang in een bedrijf als het mijne. Morgen kan het naar de drukker en dan heeft ze het volgende week in de bus. Ze zal tevreden zijn, daarvan ben ik overtuigd: een geslaagde bewerking van wat ze me verteld heeft, al zeg ik het zelf.

Voor de andere klant moet ik het allemaal nog waarmaken. Er bleef voor haar niet veel tijd over. Op de drempel deed ze me meteen al verslag van haar ziekenhuisbezoek. Die second opinion heeft haar over de streep getrokken. Ze zal voortaan met een gehoorapparaat door het leven gaan. De arts had haar weliswaar drie kwartier laten wachten, maar hij was zijn geld daarna meer dan waard geweest, zo aardig en rustig had hij haar uitgelegd dat haar eigen arts gelijk had, dat haar gehoor echt niet best meer was. Ze had zich meteen zo'n apparaatje laten aanmeten en dat was een hele klus geweest, zo verontschuldigde ze zich dat ze laat was.

Ik heb niks gezegd, heb haar gewoon binnengelaten, maar wel de opname van de laatste vijf minuten van haar verhaal van vanochtend aangezet. Mijn truc werkte: onmiddellijk nadat ze zich opnieuw in de schommelstoel had laten vallen en haar lange rok om haar benen had gedrapeerd, borduurde ze voort op waar we gebleven waren, namelijk het plotselinge overlijden van haar echtgenoot.

Hij was weliswaar tien jaar ouder dan zij, maar nog altijd te jong om te sterven. Ontroostbaar was de dochter en geheel in shock. Het plan rijpte bij elk ontwaken naast de lege plek in hun echtelijk bed. een dag waarop het in Nederland al lente was, maar in Canada nog steeds onaangenaam guur, zwaaiden buren en kennissen hen uit. Een Boeing 757 vloog hen naar het land waar de moeder tijdens haar jarenlange promotieonderzoek vele maanden had doorgebracht, terwijl de dochter weliswaar de taal sprak maar het land slechts kende uit haar moeders verhalen. Het meisje begon in de bovenbouw van het gymnasium. Ze kreeg hetzelfde jaar al een hoofdrol in de schooluitvoering, een Griekse tragedie.

Net als vanochtend moest de oude vrouw tijdens haar monoloog af en toe onbedaarlijk en ongegeneerd huilen. Maar ze liet zich uiteindelijk door mij troosten en verliet op de afgesproken tijd de kamer met een lichtere tred dan bij binnenkomst en zelfs, ondanks haar bochel, een rechtere houding.

Als ik mijn mobiel aanzet, zie ik zeven gemiste oproepen en een sms-berichtje. Mijn man en kinderen zijn al bij het restaurant. Ik zal me moeten haasten, ze wachten op me.

Zo gaat het tegenwoordig steeds. Ik loop altijd uit, ondanks de klok die ik van mijn echtgenoot heb gekregen omdat hij hoopte dat ik dan voortaan eerder thuis zou zijn. Ik kleed me om in mijn nieuwe zwarte Alexander McQueen-jurk die ik uit de kast naast de kapstok haal, samen met een paar donkerrode pumps. Op de trap naar beneden stift ik mijn lippen en orden mijn halflange haar met de borstel uit mijn schoudertas. In de hal druk ik door mijn gehaaste bewegingen twee keer de verkeerde code van de beveiliging in. Zoals gewoonlijk ben ik de laatste die het gebouw verlaat. De huisarts is meer dan een uur geleden vertrokken, te gehaast – zoals wel vaker voorkomt nu zijn vrouw weer zwanger is – om mij gedag te zeggen.

Op mijn fiets rijd ik door de smalle straatjes van het oude stadshart. Mensen vullen de terrassen, kwetteren als de vogels in de bomen boven mij. Ik moet naar de rijbaan uitwijken vanwege een skater met een sint-bernardshond aan een riem op het fietspad. Even valt mijn oog op een groep rokende jongeren. Ze zitten op hun scooters en halen met vingers die ook al een sigaret vasthouden patat uit een puntzak. Een zwerver krijgt van een van hen een kroket aangereikt. Verderop achtervolgt een politieagent op zijn motor een brommer met een jongen en een meisje zonder helm.

Bij het restaurant loop ik met mijn fiets aan de hand een zijstraat in: een Lamborghini en een Mercedes suv blokkeren de stoep voor de ingang gebroederlijk met de neuzen naar elkaar gericht. In de rij fietsen tegen de muur van het aangrenzende blok huizen herken ik die van mijn man en kinderen. Ik plaats de mijne iets verderop, zodat ik hem aan een regenpijp kan bevestigen met een extra kettingslot.

Binnen word ik onmiddellijk omringd door obers in zwarte overhemden met opstaande boorden. De een pakt mijn jas aan terwijl de ander me naar een grote ovale tafel achter in het restaurant leidt, waar mijn zeven tafelgenoten zitten te wachten.

Mijn schoonzus bewondert mijn jurk, die van zwart fluweel is en als een wetsuit mijn lichaam omsluit. Ik kus iedereen en neem plaats op een heerlijk zachte stoel met luxe armleuningen, rechts van mijn echtgenoot.

'Mama, een meisje van mijn musicalles heeft je vandaag met een meneer uit een hotel zien komen,' merkt mijn oudste dochter plompverloren en een tikkeltje achterdochtig op. Een moment later is ze alweer verdiept in de menukaart en vraagt wat in vredesnaam 'sokuiles' zijn.

De weifeling is boven de tafel waarschijnlijk niet merkbaar. Mijn handen zoeken onder de tafel de stof van mijn jurk. Ik vind stevigheid door mijn vingers om de stof te wikkelen. Ik mompel iets over de huisarts bij wie ik mijn praktijkruimte huur en met wie ik soms ga lunchen. Mijn schoonzus is druk bezig mijn dochter uit te leggen dat coquilles ook wel sint-jakobsschelpen heten en dat ze echt lekkerder zijn dan oesters.

Niemand heeft naar mijn antwoord geluisterd, behalve mijn echtgenoot. Even lijken zijn irissen van kleur te verschieten, donker en groot liggen zijn ogen in hun kassen. Verwarring lees ik erin, heel even maar, als een donderslag bij heldere hemel. Dan is het voorbij. Er verschijnt een grijns rond zijn lippen terwijl hij onder de tafel mijn nog klamme hand grijpt. Geruststellend knijpt hij erin en onze trouwringen raken elkaar, maken een tikkend geluid.

Ik wil nog iets zeggen, in de trant van dat hij zich geen zorgen hoeft te maken, dat het allang voorbij is, net zoals zijn relatie met de buurvrouw voorbij is. Maar mijn woorden worden gesmoord in een opeenstapeling van vragen van mijn schoonzus over mijn praktijk. Of ik nog wat verhalen voor haar heb; hoe het nu bijvoorbeeld gaat met de vrouw met de mislukte liposuctie, en of de man van zeventig al een keuze heeft gemaakt uit zijn vier minnaressen. Ik vertel haar wat ze horen wil en ze luistert aandachtig. Geheel in de waan is ze dat ik de waarheid vertel. En uiteindelijk doe ik dat ook. Ergens op de wereld, in heden, verleden of toekomst, is dit wat iemand overkomt, overkwam of zal overkomen.

Nooit zal ik de privacy van mijn klanten schenden. Professionele anonimiteit is het keurmerk van mijn bedrijf. De beslissing of klanten op schrift gestelde memoires met anderen willen delen, is aan hen. Dat geldt uiteraard ook voor mevrouw Harper.

Mijn schoonzus schenkt me bij uit de fles Sancerre. Nog altijd in de ban van wat ik vertelde over de man van zeventig schenkt ze over de rand. Meteen staat er een ober naast de tafel met een nieuw glas. Het voorgerecht van mosselen en groene asperges wordt opgediend. De sommelier van het restaurant adviseert ons een Elzasser wijn.

Als de borden van het hoofdgerecht zijn opgehaald, houd ik het niet meer uit: 'Zullen we even roken?' vraag ik aan de tafelheer tegenover mij. Hij veegt zijn mond af aan een enorm wit servet en staat op zonder antwoord te geven.

Buiten lijken wolkenpartijen elkaar op te jagen in een lucht door de maan geschilderd in strepen van grijs, zwart en wit, met een zilveren rand. We lopen op in de schaduwen van de grote kerk, waar onze schoenen om de drie meter verlicht worden door ouderwetse straatlantaarns.

Mijn broer geeft slechts een kort knikje na mijn voorstel.

Ik had verwacht dat ik hem zou moeten overreden, dat hij te trots zou zijn om bij zijn jongere zus in dienst te komen. Dat ik hem zou moeten uitleggen dat het eerder een vriendendienst van zijn kant zou betekenen dan andersom, en dat hij mij er reuze mee zou helpen. Maar Ronald zegt niets. Hij zegt niets en hij vraagt niets. Zijn zwijgen wordt alleen doorbroken als ik hem het salaris noem dat ik hem voor zijn diensten als accountant in mijn praktijk wil bieden.

Bewonderend en ook enigszins opgelucht kijkt hij me kort aan, hij fluit tussen zijn tanden en zegt: 'Jouw zaakjes moeten wel heel goed lopen, zus. Wie had dat nou gedacht?' Uit zijn zak haalt hij een pakje Marlboro. 'Jij ook toch?' Terwijl we doorlopen en zwijgen zijn mijn gedachten bij hem. De financiële malaise sinds mijn broer besloten heeft voor zijn bedrijf geen opdrachten op het gebied van consultancy aan te nemen, moet vele malen groter zijn dan ik vermoedde. Het geld van Josephine vindt zijn bestemming en dat vervult me met trots. De enige zorg die ik nu nog heb, is hoe ik aan mijn broer de accountant ga uitleggen waar ik zijn salaris van betaal. Maandelijks zal ik tientallen extra klanten moeten opvoeren om het geloofwaardig te maken. Maar ach, misschien is het niet eens nodig. Geen enkele behoefte aan de waarheid heeft hij, en nooit zal hij er bewust naar op zoek gaan. Ik boer goed, dat is alles.

'Lekker hè?' zeg ik en wijs naar zijn sigaret. We lopen terug naar het restaurant. Onze schouders raken elkaar. De zijne steekt een kleine vijftien centimeter boven de mijne uit. Hij draagt een kostuum van grijs kasjmier met een heel fijn wit streepje. We zijn een goed duo. Daar ben ik van overtuigd. Als we langs een café lopen, gaat de deur net open. De klanken van 'Alors on danse' van Stromae komen ons tegemoet en baldadig sla ik een arm om Ronald en hij doet heel even mee met mijn danspasjes.

Een intens gevoel van geluk overvalt me als ik hem vlak voor het restaurant zachtjes hoor neuriën. De melodie van het liedje dat we zojuist hoorden is bijna niet te herkennen zo vals en ongecontroleerd is Ronalds stem. Maar vrolijk klinkt het uit zijn mond. Heel, heel vrolijk.

De kinderen zijn al met Ronald en Hélène op weg naar huis, als ik nog steeds sta te klungelen bij het losmaken van mijn fiets. Thomas pakt het sleuteltje van me over en wrikt het slot met enkele trefzekere gebaren los. 'Staan we quitte?' Zijn hoofd draait naar het restaurant waar Lotta haar opmerking over de ontmoeting bij het hotel maakte en hij tikt met het sleuteltje teder tegen mijn wang.

'Je bedoelt je gedoe met de buurvrouw?' vraag ik nog even voor de zekerheid terwijl ik met mijn hand op de zijne het sleuteltje naar zijn wang verplaats.

'Ja, veel te lang geduurd,' mompelt hij beschaamd.

'Voorbij met de huisarts ook, sorry,' zeg ik op mijn beurt en dan schieten we beiden in de lach.

'Je kunt altijd opnieuw beginnen, toch?' zegt hij terwijl hij me mijn fiets aangeeft.

Ik bedank Martijn, Henk, Ida, Rikkeline, Jonas, Jens, Wanda en Elsa en daarnaast allen die ook genoemd wilden worden.

De vertaling van *Metamorphosen* van Ovidius die gebruikt is voor het motto, is van M. d'Hane-Scheltema (Amsterdam: Athenaeum-Polak & Van Gennep, 1993).

De dichtregels op p. 54 en 55 komen respectievelijk uit 'Wandrers Nachtlied' van J.W. von Goethe en 'Der Wanderer' van G.P. Schmidt von Lübeck.

De voorleesregel op p. 17 komt uit *Er ligt een krokodil onder mijn bed!* van I. Schubert, Rotterdam, Lemniscaat, 1980.